新 潮 文 庫

百 年 の 呪 い

新・古着屋総兵衛 第二巻

佐 伯 泰 英 著

新 潮 社 版

9273

新・古着屋総兵衛　第二巻　百年の呪い　主要登場人物

鳶沢総兵衛勝臣　十代目大黒屋総兵衛。鳶沢・池城・今坂一族を束ねる。
安左衛門　鳶沢一族三長老の一人。駿府鳶沢村分家の長。
仲蔵　鳶沢一族三長老の一人。大黒屋琉球出店店主。信一郎の父。
光蔵　鳶沢一族三長老の一人。大黒屋大番頭。
信一郎　大黒屋一番番頭。祖伝夢想流・琉球武術の達人。
参次郎　大黒屋二番番頭。
雄三郎　大黒屋三番番頭。
重吉　大黒屋四番番頭。
おりん　大黒屋の奥向きを仕切る。
田之助　大黒屋手代。健脚を誇る。異名「早走り」。
九輔　大黒屋手代。通称「猫の九輔」。植木職人に扮し六義園に潜入。
天松　大黒屋小僧。通称「ひょろ松」。二代目綾縄小僧を自称。

兼吉　大黒屋小僧。
平五郎　大黒屋小僧。
金武陣七　池城一族。大黒丸の主船頭。
幸地達高　池城一族。大黒丸の助船頭兼舵方。
朋親　池城一族。大黒丸の水夫。ぬんちゃくの達人。
梅香林　今坂一族。唐人卜師。和名林梅香。
千恵蔵　今坂一族。大黒丸を超える巨船イマサカ号副船長兼航海方。
本庄豊後守義親　大目付職の首席、道中奉行を兼帯。
坊城麻子　中納言坊城家を実家とする南蛮骨董商女主人。桜子は娘。
賀茂火睡　陰陽師。李黒とともに闇祈禱を司る。
李黒　風水師。闇祈禱を司る。
根岸肥前守鎮衛　南町奉行。
石出帯刀　牢屋奉行。
沢村伝兵衛　南町奉行所無役同心。一撃無楽流の居合いの達人。
本郷丹後守康秀　影。七千石取りの直参旗本。将軍家斉御側衆。
鶴間元兵衛　本郷丹後守康秀の用人。

目次

百年の呪い

新・古着屋総兵衛　第二巻

第一章 廃園の謎《なぞ》

一

宋《そう》代、中国では、

「木綿《きわた》は珍貨であった」

そうな。なぜならば宋では木綿は栽培されずチャンパ、ジャワからの輸入品であったからだ。

木綿は本来、木本《もくほん》多年草で、それがどういうわけか、草本一年生作物に変わり、木綿栽培に大きな変化がみられるようになった。

多年草木綿は計画的な生産に適さなかったが、一年生になることによって他の農作物と同じような畑作栽培の一作物に変化した。

また木綿は中国で栽培されるようになっても南方に限られていたが、それが段々と北進し、浙江《せっこう》地方に作付けされるようになった頃、春に播種《はしゅ》して秋に収穫する普通の農作物と変らぬ作物に進化を遂げていた。こうして一年生に進化することによって木綿《もめん》は、市場価値が高くなり、安定供給が可能になった。

もともと江南の浙江地方の農業知識は、南方の広東《カントン》・福建地方に比べると格段に発達しており、この地域に綿花栽培が導入されると急速な品種改良がおこなわれ、アジア綿は選種、耕作方法の改良とともに、綿毛が長くなり、耕地面積あたりの収穫量が増大して、在来の苧麻《ちょま》（からむし）に対抗しうる衣料原料に成長した。

また生産性の低い苧麻が紡績に多くの労力と技術を要したのに反し、摘み取られた綿花は専用の器具を用いて大量に処理する技術が開発された。

この結果、大量栽培、分業化による紡錘、製糸、織物による大量流通が可能になり、中国明《みん》代に入り、衣料事情は大きく変わった。

綿花の大量流通は一つの革命をもたらした。

麻が日常の衣料であった時代、布に織り上げて衣服に作ると、

「一生を一着だけで過ごす」ほど着続けられる強靭《きょうじん》さがあった。裏を返すと麻は流通機構に流れず、

「家内で生産し家族で費消」された衣料であった。

一方、木綿は絹よりも丈夫とはいえ、麻に比べると脆弱《ぜいじゃく》で一生一枚とはいかない。この木綿の脆弱性が需要を生み、市場に活気を与え、染、織り方の工夫がなされ、

「流行《はや》りの木綿商品」となるきっかけになった。このように大量消費は、大量の古着や古布を生み出し、木綿は、いわば、

「再使用《リサイクル》」の社会を構築した。

一方日本にこの木綿が到来したのは、延暦《えんりゃく》十八年（七九九）に三河国の浜辺に漂着した崑崙《コンロン》人が持参していた綿種が最初と推定される。だが、紀伊、淡路

から四国、西国において栽培を試みたが失敗して絶滅した。木綿が日本に定着したのは二度目の綿種伝来の十五世紀以降を待たねばならない。もともとこの国の衣料は、貴族や上級武士たる支配者階級が絹を身につけ、庶民たる被支配者は苧麻を着る習わしがあった。ゆえに絹も苧麻も年貢《ねんぐ》の対象になった。

ところが到来品の木綿は徴税対象とはならず、このためもあって西国から関東に木綿生産が一気に増え、

「商品生産」

の道が開けた。

とはいえ、当時の木綿生産の規模は未《いま》だ域内生産、域内費消であったろう。

木綿が庶民のあいだに広く普及するのは江戸中期だ。

大和国《やまと》では木綿栽培と製綿加工で分限者《ぶげんしゃ》が出て、木綿屋敷が建てられた。

この綿商人は綿花から繰りとった繰綿を繊維に加工するための道具を、従来の打綿の弓から、異国より伝えられた「唐弓《とうゆみ》」という道具に創意工夫を加えたものに切り換えることで、大量生産の切っ掛けを作った。そして、大量の繰綿

と多くの働き手を集めて、江戸に向けた打綿業を成長させたのだ。

その結果、この分限者は数年のうちに大和国きっての綿商人になった。さらに事業を拡大した綿商人は、近畿一円の綿の集散地の摂津平野村や大坂京橋の綿問屋から何百貫もの摂津、河内産の木綿を買い取って、打綿に加工して江戸に出荷し、巨財を築いた。

ただ当時の国内で消費される打綿がこれだけで足りたわけではない。

そこで中国から国内産の何十倍も輸入し需要に応じようという動きが生まれてくる。むろん木綿の強い需要に見合うだけの国内産綿が栽培されてないことを幕府は承知で、異国からの綿の輸入を黙認していた。

江戸中期から木綿生産と綿布織りの技術が目覚ましく進歩したにもかかわらず、原料の供給が追いつかぬ状況が続いた。

「早くモンメンを着せたい、着たい」

というのが当時の母親の願いであり、子の夢だった。つもりモンメンは、「晴着」だったのだ。それに木綿は麻に比べてはるかに保温効率がよく、また家内副業として成り立ち、商品性が強く、経済を左右する産物であった。

土地を持たない非百姓には綿を貸し与えて木綿を織らせる、「綿替木綿制度」が普及し、織物問屋のはしりになった。

またこの木綿製織によって残り糸や屑糸《くずいと》が問屋の手元に残るが、こうした寄せ集めの糸で布を織って自給したり、古手木綿として流通し、この古手で裂織りの厚い織物が織られた。

このように木綿には高い生産性、広い流通市場があり、そして多様な使い道と再使用が可能な布地という特長を持っていた。

江戸も享和《きょうわ》期（一八〇一～〇四）になると、武家社会でも下層武士が、職人が、商家の奉公人が、百姓衆がと庶民階級の大半が木綿を愛用する時代になっていた。

木綿につきまとうこの需給の不均衡に、とうの昔に目を付けたのが初代の大黒屋琉球店店主の信之助だった。信之助は大陸の江南、浙江省から大量の古手木綿を買い付けて江戸に送り、それを解《ほど》いて野良着《のらぎ》に仕立て直し、陸奥《むつ》一円に運んで重宝されていたが、そのうちに古手木綿の俵に、「木綿《きわた》」を入れて江戸に運び込み、打綿から綿布織りまで一貫して行なって着る人々の多様な好みに応《こた》え、利を上げる商いを定着させたのだ。

なんとなく気忙《きぜわ》しい師走《しわす》の富沢町《とみざわちょう》では正月を迎えるにあたり、屋敷やお店《たな》の奉公人にお仕着せの一枚も誂《あつら》えようとする納戸方《なんどがた》や内儀が古着の町に姿を見せて、賑《にぎ》わっていた。

そんな古着商いが雲集する界隈《かいわい》の中心は今も昔も、二十五間（約四五メートル）四方の拝領地に建つ四方総二階、漆喰土蔵造りの大黒屋だった。

この日、四方土蔵造りの南西側の内蔵に琉球の大黒屋出店から海路運ばれてきた古手木綿の俵が山積みされて、今しも俵が開かれようとしていた。その俵の表には航海の安全と商い繁盛を願って、

「福」

と書かれた逆さ文字の御札が張られていた。

これら古手木綿を運んできたのは金武陣七主船頭の大黒丸だ。この年、初めての木綿仕入れの航海であった。それに鳶沢《とびさわ》一族の三長老の一人であり、大黒屋琉球出店の店主仲蔵《なかぞう》が十代目大黒屋総兵衛《そうべえ》に送った最初の荷でもあり、仲蔵がわざわざ俵の表に張らせたものだった。

「信一郎、親父《おやじ》様はあれこれと考えられたな」

と俵開きに立ち会う総兵衛が、一番番頭にして十代目鳶沢総兵衛勝臣《かつおみ》の後見役の信一郎に笑いかけた。

「十代目総兵衛様にあてた一番荷にございます。いささかめでたく工夫したのでございましょう」

三番番頭の雄三郎が、

「俵を開いてようございますか」

と改めて願った。

総兵衛は、大黒屋の十代目として富沢町に披露目をなした翌日から、店の仕事を覚えると後見の信一郎に告げ、内蔵に保管された品の点検から帳面の見方、店の一日の仕事の流れなどをその場に同席して経験しようとした。

九代目までの総兵衛の多くが富沢町生まれの富沢町育ちだ。幼いころから店の内外を遊び場にして、奥と店の違いも店の商いも仕来《しきた》りも富沢町の歳事も知らず知らずに身につけていた。

だが、遠く交趾《こうち》（現在のベトナム）のツロン生まれの勝臣は、大黒屋や富沢町ばかりか、江戸の風習から食べ物まで覚えるべきことが山積していた。

本来なれば俵開きなど総兵衛自ら立ち会うことはない。だが、どのような細事も見ておきたいとして十代目が内蔵に足を運び、信一郎も立ち会っていたのだ。

最初の古手木綿の俵が開かれると、少し黄色味を帯びた綿花が姿を見せた。三番番頭の雄三郎が掌《てのひら》にいくつか載せて、育ち具合を調べた。そして、総兵衛と信一郎のところに持ってきて、

「なかなかの生育と思います」

と報告した。

総兵衛は掌に載せられた、白毛に包まれた綿花を見た。

「交趾の綿花といささか品種が違うようだ」

「総兵衛様、綿ほど広く栽培される衣料繊維もございますまい。中国のみならず天竺《てんじく》にもさらに西方の国々にも綿は作付けされておりまして、土地土地で改良がなされて、長短大小の綿花を栽培します。うちは古くから浙江省の綿花を買い入れて、紡錘、製糸、織を一貫して特約の綿屋にやらせております」

信一郎の説明を聞きながら、総兵衛は数日前からの頭痛が再び襲ってきたことを感じた。

半年余の船旅とその後、大黒屋の十代目に就いて一月、身に起こった激変が総兵衛に緊張を強いていたか。

総兵衛の頭痛をよそに雄三郎らは俵を適宜に開いて綿花の具合を調べていく。

「この内蔵には千三百余の俵がございまして、すべてが浙江綿花にございます。浙江省で今年の秋に収穫された綿花が俵に詰められて、名目上古手木綿として琉球に運ばれます。その数は年によって違いがございますが一万五千俵ほどにございます。大黒丸による二度から三度の琉球航海で運んで参ります。大黒屋の秋恒例の交易にございます」

「琉球を経由して運ばれてくる綿花はすべてわが大黒屋の内蔵にて検査を受け

るのか」

「いえ、二番船からは深浦《ふかうら》にて検査を行い、青梅《おうめ》、真岡《もおか》など江戸近郊の綿問屋にじかに送り込みます」

と答えたとき、雄三郎が、

「総兵衛様、かようなものが俵に入っておりましたぞ」

と護《まも》り神と思える木像を届けてきた。

綿摘みをする農夫が自らの護り本尊の関羽《かんう》像を綿俵の中に落としてしまったか。高さ二寸五分（約七・六センチ）ほどの木像は素朴で長いことその者の肌にあったことを偲《しの》ばせて、木肌が飴色《あめいろ》に光っていた。

雄三郎から渡された護り本尊の関羽像は総兵衛の掌の上で綿花と並んで寝かされた。

「関羽像じゃな。護り本尊にしておった者はさぞ嘆いていような」

「この次の船に乗せて琉球に届けますか。親父様が手配をして浙江省に届けることはできますが、綿花の畑は広大であちらこちらに広がり、どこでどう俵に混入したものか、相手を探し出すのは難しゅうございましょうな」

と信一郎が言い、総兵衛が頷《うなず》いたとき、訝《いぶか》しくも掌の関羽像が飛び跳ねてなにごとかを訴えた。

「訝しいことが」

と信一郎が動きを凝視した。

関羽像は何度か飛び跳ねたあと、静まった。

「総兵衛様、なんぞこの関羽像に思念を送られましたかな」

と信一郎が総兵衛に尋ねた。だが、返答はなかった。

「どうなされました」

と総兵衛の顔を見ると額から汗が噴き出していた。

「悪寒《おかん》が走りおった」

「風邪にございましょうか、それともこの関羽像が悪さをなしましたか」

と信一郎がいささか慌《あわ》てた顔で総兵衛に問うた。

「信一郎、雄三郎、思い当ることもないではない。座敷に引き上げる」

と総兵衛が言うと頷き返した信一郎が雄三郎に、

「木綿の検査をこのまま続けなされ」

と命じて総兵衛に従い、内蔵を出ると庭を抜け、総兵衛の住まいの離れ屋に戻った。

「総兵衛様、ご気分は」

「最前ほどではない」

「桂川《かつらがわ》先生をお呼び致します」

「いや、待ってくれ。それより私の話を聞いてくれぬか」

と総兵衛が後見に願った。首肯した信一郎が、

「大番頭の光蔵《みつぞう》さんをお呼びしてようございますか」

と言うところに渡り廊下に足音がして、大黒屋の大番頭の光蔵と奥向きを仕切るおりんが急ぎ姿を見せた。

雄三郎が店に異変を告げたのだろう。

「総兵衛様がご不快とか」

光蔵の顔は険しかった。

たった二月前、九代目総兵衛勝典《かつのり》を労咳《ろうがい》（肺結核）で亡《な》くした大黒屋であった。十代目に就いたばかりの総兵衛に病が発症したと思うと、光蔵は生きた心

地がしなかった。

「おりん、茶を淹《い》れてくれぬか」

と総兵衛がおりんに命じ、無言で頷いたおりんが主従三人の茶の仕度を始めた。

総兵衛が無言で長火鉢の猫板の上に今年の一番摘みの綿花を置き、関羽像を立てて置いた。

「これはまた変わった仏像にございますな」

「大番頭さん、古手木綿の俵から出てきたのです」

と信一郎が俵開きの最中に起こった不思議な現象を光蔵とおりんに告げた。

「それはまた瑞祥《ずいしょう》か、はたまた」

と言いかけた光蔵が不吉な言葉を喉《のど》の奥に飲み込んだ。

「大番頭さん、総兵衛様の掌に載せられた途端、総兵衛様が汗を流し始められたことが気になります」

「えっ、それはいかぬ。風邪の季節、すぐに桂川甫周《ほしゅう》先生をお呼び致しましょう」

と立ち上がりかけたのを総兵衛が制した。

「総兵衛様、お茶が入りました」

とおりんがまず総兵衛に宇治茶を差し出した。

茶は総兵衛の好みの少し温《ぬる》めに淹れられていた。その茶をゆっくりと喫した総兵衛が、

「富沢町にようやく馴染《なじ》んだと思うた頃から頭痛を感ずるようになった。私はこれまで頭痛など感じたことは一度もない」

「交趾と江戸ではやはり風土が違いますかな」

「大番頭さん、そういうことではあるまい」

「では、なぜ頭痛に総兵衛様が見舞われるようになったのでございましょう」

しばし総兵衛の口から返答は聞かれなかった。

「九代目総兵衛勝典様が労咳にかかって身罷《みまか》られたのは三十六歳、いかにも若い。なぜ勝典様は労咳にかかられたか」

と自問するように呟《つぶや》く総兵衛に光蔵、信一郎、おりんのだれもが言葉を失った。

「先代の死はだれぞの策略と申されますか」

信一郎が聞いた。

「分からぬ。じゃが、なぜ三十六歳の若さで亡くなられたか。そして、私に頭痛が憑《と》りついたか」

とさらに自問した総兵衛が、

「古手木綿の俵が内蔵に運び込まれたのは三日前からか」

「いかにもさようでございます。千三百俵がすべて納められたのは、昨日の夕刻にございました」

と信一郎が答えた。

「琉球で仲蔵さんが航海安全、商売繁盛を願って俵に逆さ福の御札を張って江戸へと送り出された。今一つ、偶然にも綿摘みの男衆《おとこし》か女衆《おんなし》か、この大きさなれば男衆の道具と思えるが大事な護り本尊、関羽像が綿花の中に落ちたことに気付かず、関羽像は遠い江戸の地まで運ばれてきた、というわけじゃな」

「どうやらそのようで」

総兵衛は長火鉢の猫板に立てられた関羽像に向って瞑目《めいもく》合掌し、経文なのか、

何事か口の中で念じた。そして、ゆっくりと両眼を開き、

「なんぞ意あらば教えてくれませぬか」

と願った。

だが、猫板の上の関羽像はただ静かに沈黙したままだ。

「御座が気に入りませぬか」

総兵衛は関羽像を両手で捧《ささ》げ持つと隣の仏間に入り、大黒屋の先祖の位牌《いはい》が並ぶ仏壇に関羽像を立て、燈明《とうみょう》を灯《とも》し、再び瞑目合掌した。

光蔵ら三人も総兵衛に従った。

りーん
とだれも叩《たた》かぬのに鉦《かね》の音が仏間に響いた。そして、関羽像が二度三度と先祖の位牌の間で大きく飛び跳ねた。

「これはまたどういうことで」

と光蔵がだれとはなしに問うた。

「信一郎、深浦に使いを立ててくれぬか」

「畏《かしこ》まりました。してその用件は」

「われらの一族の中に卜師《ぼくし》梅香林《ばいこうりん》が同行しておる。この者を富沢町に呼んでほしい」

「すぐにも早船を」

信一郎が手配のために立ち上がり、総兵衛は三度《みたび》瞑目すると読経《どきょう》を始めた。

二

梅香林は唐人にしては小柄な老人だった。一尺（約三〇センチ）ほどの真っ白な顎鬚《あごひげ》を蓄えた梅老師は二人の同行者を従えていた。
十一、二歳か、一人は五尺三寸（約一六一センチ）ほどの身丈で和名を喜助と呼ばれ、四尺（約一二一センチ）にも満たない小柄な一人は、竹次と名付けられていた。二人の背には網袋が負われていた。
船から船隠しの石段に飛ぶと梅老師はさっさと鳶沢一族の地下城へと向かって、案内人の田之助を慌てさせた。

梅老師は初めての富沢町訪問にも拘《かか》わらず、鳶沢一族の隠し地下城に急ぎ足で進み、複雑に曲がって造られた石畳と石垣の通路を迷うことなく玄関へと向

かい、廊下に上がると板戸が閉じられた広間の前に、

ぴたり

と座した。その背後に二人の童が控えた。

「総兵衛勝臣様、梅香林、ただ今参上仕《つかまつ》りました」

と見事な日本語で板戸の向こうに呼びかけた。

「老師、ご苦労であった」

総兵衛の許しの声に二人の童が板戸を押し開き、梅老師が鳶沢一族の秘密の地下城大広間に足を踏み入れ、鳶沢一族の本丸を見渡した。

童二人は大広間の入口近くに控えた。

そのとき、総兵衛は高床の端に独り座していた。

高床には初代成元《なるもと》と六代勝頼《かつより》の木像が安置されて、神棚には武人鳶沢一族の心意気、武神の誉田別命《ほんだわけのみこと》（応神《おうじん》天皇）への帰命《きみょう》を表す、

「南無《なむ》八幡大菩薩《はちまんだいぼさつ》」

の墨書が掛かっていた。

二つの坐像《ざぞう》の間に身の丈二寸五分の関羽像が置かれていたが坐像に比べてあ

まりにも小さく初めての訪問者に分かったかどうか。

梅老師は初代と六代の木像の前に進んで座し、拝礼した。

高床下に控えた鳶沢一族の三長老の一人の光蔵と総兵衛の後見の信一郎がじいっと初めての訪問者を見詰めていた。

イマサカ号に乗船した今坂一族百五十余人が相州深浦の船隠しに碇《いかり》を投げ入れて一月半余が過ぎていた。

その間に信一郎は何度か、総兵衛の供をして深浦を訪ね、今坂一族の男衆、女衆に会い、親交を深め、鳶沢一族と今坂一族の融和を図ってきた。

だが、その信一郎ですら梅老師の存在にはこれまで気付かなかった。

「火急のお呼びにございますそうな、キ公子」

「老師、その名は捨てた。私は鳶沢総兵衛勝臣じゃ」

「おお、失礼を仕りました。勝臣様、御用の向きは」

「すでに承知じゃな」

と総兵衛が老師に質《ただ》した。

「総兵衛様にご不快が憑りついたこと、察しておりました。祈禱加持《きとうかじ》にございますか」

「そうではない。わが頭痛の原因を調べよ」

「仔細《しさい》をお聞かせ下され」

総兵衛は頭痛が始まった時期、頭痛に見舞われる刻限、痛みの様子などをつまびらかに告げた。さらに本日浙江省から運ばれた古手木綿の俵に紛れ込んでいた関羽像が発見され、その護《まも》り本尊が総兵衛の掌に渡った直後に奇異な動きを見せたことを話した。

「総兵衛様、関羽像を拝見してようございますか」

と老師が願い、総兵衛が頷《うなず》くと梅老師が高床に上がり、初代と六代の坐像の間に小さく立つ関羽像を両手に取った。

梅香林老師は関羽像を見ながらしばし沈思していたが、同道した二人の童に交趾の言葉で何事か命じた。

喜助と竹次の背の網袋が下ろされ、板の間の真ん中に喜助と竹次が進んで、袋の紐《ひも》を解いた。

小柄な竹次はまず懐《ふところ》から磁石を出すと方角を調べた。そして、きっかり東西南北の位置に持参した蠟燭《ろうそく》を立てて灯りを灯していった。

喜助は何事か許しを乞《こ》うように言うと先に大広間に灯されていた行灯《あんどん》の灯りを次々に消していった。

大広間に四つの灯りがあるだけで、地下城大広間の周囲は闇《やみ》に沈んだ。

関羽像を片手に捧げた梅老師が、四つの灯りの外を歩きはじめると、竹次が深浦から用意してきた壺《つぼ》に入った清水を老師のもう一方の掌に垂らし、それを老師が辺りに振り撒《ま》いて浄《きよ》めた。

そうしておいてようやく老師が四つの灯りの中に入り、喜助の網袋から折り畳まれた円形の敷物を取り出して四つの灯りに囲まれた空間に敷き、さらに袋から古書やら筮竹《ぜいちく》やら賽子《さいころ》やら線香やら細々とした道具を取り出した。

まず梅老師は、唐の線香を灯して卜《ぼく》の場にくゆらした。

敷物の真ん中に座した梅老師が交趾ツロンの方角に向かい拝礼すると、関羽像を自らの前に置き、卜を開始した。

「長老、後見、二刻《ふたとき》(四時間)はかかろう」

と総兵衛が高床下に控える光蔵と信一郎に告げた。

口の中で何事か誦《ず》しながら梅老師の占いが続いた。

総兵衛も信一郎も光蔵もただ梅香林老師の行いをひたすら見続けた。

夜半九つ（午前零時頃）を過ぎ、九つ半に差し掛かったころ、梅老師の前に安置されていた関羽像が、
ぴょんぴょん
と跳ねて、敷物の端へと移動した。

竹次がその場に黒玉をおいた。すると関羽像はもとの場所に戻ったが、今度は反対の方角に飛んで、二番目の場を示した。今度もまた黒玉が置かれた。二つの黒玉は、ほぼ対称に位置した。

梅老師が筮竹を手にさらに卜を見ていたが、ゆっくりと立ち上がり、総兵衛に異国の言葉で何事か告げた。

「わが頭痛の因《もと》をこれから突き止めるそうな。地下より地上に出るがよろしいな」

「総兵衛様、富沢町のすべては総兵衛勝臣様の支配なさる地にございますれば、信一郎に断る要はございません」

信一郎は大広間を出ると階上への隠し階段のある壁をぐるりと回した。

関羽像を片手に立てた梅老師は迷いなく階段を上がって、総兵衛の居室の離れ屋に入り、あちらこちらと歩き廻った。さらに顔を横に振ると渡り廊下をロの字に囲む母屋《おもや》と店、蔵の内側に設けられた回廊へと移り、庭に下りてなにかを探し回った。だが、目的のものは見つからないのか、

「総兵衛様、店の外に裏口から出とうございます」

と断った。

信一郎が裏庭へ出る戸口に案内して、梅老師、総兵衛、光蔵、信一郎の四人が富沢町の西側に出た。

八つ（午前二時頃）の刻限だ、富沢町は深い眠りに就いていた。

幅一間半（約二・七メートル）の路地が大黒屋の裏手に通っていたが、梅老師は左手を突出し、その掌に関羽像がなにかを指し示したか北西側へと歩き出した。

時に梅老師が立ち止まり、関羽像に相談するように唐人の言葉で話しかけ、辺りを見回して動き始めた。

「気の流れ、水の流れを読んでおるのだ」

と総兵衛が言った。

従うのは光蔵と信一郎の二人だけだ。信一郎は用心のために小田原提灯《ぢょうちん》を持参していた。

梅香林老師の姿が不意に消えた。

西に向かって曲がり、幅半間の路地に姿を没したのだ。

総兵衛、光蔵、信一郎の順で梅老師に従った。

狭い路地の向こうには二十間に十五、六間ほどの空き地があって、北側に井戸が掘り抜かれ、大きな銀杏《いちょう》の老樹が立っていた。

この空き地は古着屋伊勢屋半右衛門方の店と屋敷があったところだが、だいぶ前に大黒屋の所有地になり、夏祭りの会場になったり、ぼろ市の露店が出たりする、そんな使われ方をしていた。

梅香林老師の足が銀杏の老樹の下にある稲荷《いなり》社に向かった。

赤い鳥居の向こうに豊川稲荷の末社があって、この界隈《かいわい》の人が世話をしていた。

入り口に一対の狐《きつね》がお定まりのように社を護っていた。

「これはなんでございますな、総兵衛様」

総兵衛が光蔵を振り返った。

「これは稲荷神社と申します。この国は水穂の国と申し、ことさらに稲、すなわち米を大事にいたします。稲荷とは稲生《いねなり》から転じたもののようですが、要するに五穀をつかさどる倉稲魂《うかのみたま》を祀《まつ》った社にございます。ここに狐がおりますのは御食津神《みけつかみ》と三狐神《みけつかみ》とのゴロ合わせで、狐を神の使いとする古くからの俗信によるものです。江戸には、伊勢屋、稲荷に犬の糞《くそ》というほどにどこの町内にも稲荷社がございます」

と光蔵が説明した。

「狐が神様の使いにござるか。土地土地でおもしろい風習があるものですな」

と梅老師が呟《つぶや》き、総兵衛が、

「ツロンの日本寺では犬の像がかように守っておったな」

と記憶を辿《たど》った。

「いつのころからこの社はありますかな」

梅香林の話す和語はなんとなく雅《みやび》で総兵衛の口調と似ていなくもない。

「さあて、私が大黒屋に奉公に上がった四十数年前からございましたな」

梅老師は真っ赤な鳥居の下に関羽像を置き、筮竹を繰って何事か祈禱をした。

すると向き合った狐が、

「ううううっ」

と唸《うな》り声を発した。

「怪しげな」

と光蔵が呟き、総兵衛が両手で頭を抱えた。

「総兵衛様、頭痛にございますか」

「激しい痛みが襲うてきた」

と総兵衛の体が揺れた。

梅香林が関羽像を再び保持すると決然と赤い鳥居をくぐり、常夜灯の灯りに浮き上がる社の扉を開いて、浙江省から綿花に紛れて到来した木像を社に突き入れた。すると、
ぎゃっ

という凄《すさ》まじい悲鳴がして、稲荷社の中から一匹の妖怪《ようかい》が飛び出そうとした。梅香林老師が関羽像で逃げ出そうとした妖怪を押さえつけた。押えつけられた瞬間異臭を放った。それは猿とも猪《いのしし》ともつかぬ生き物で口の端にしなびたものを二つ咥《くわ》えていた。

老師が関羽像で打ち据えると妖怪はただの木製の像に変じた。口の端のしなびた二品を摑《つか》んだ梅老師が臭《にお》いを嗅《か》いでいたが、懐から布切れを出してそれを大事そうに包んだ。

「老師、この妖怪が総兵衛様を悩ました頭痛の因にございますか」

と信一郎が尋ねると、

「まだなんとも申せませぬな」

と応じる梅老師に総兵衛が、

「頭痛が柔らいだ」

「総兵衛様、それは一時のことにございますよ。あと三つ黒稲荷があるはず」

と今度は一番目に見つかった稲荷社から南西にいった方角にやはり稲荷社を見つけ、同じように社にいた妖怪を関羽像で退治した。

三番目の稲荷社は、南東側、古着屋と古着屋の間に挟まれて鎮座しており、この界隈では、

「八屋稲荷」

とか、

「古着稲荷」

と呼ばれて古着商いの護り神と信じられていた。

最後、四つ目の稲荷社は大黒屋の鬼門の艮《うしとら》(北東)にあたる方角、入堀の河《か》岸《し》道に密《ひそ》やかにあった。

梅香林老師は、これまでと同じ手順で妖怪を退治すると、社の中を信一郎から借り受けた提灯で克明に調べ、それまで妖怪が座っていた体の下から古びた紙片を見つけ出して大事そうに懐にしまった。

大黒屋の閉じられた表戸に立った梅香林老師が二十五間四方の大黒屋の建物に向って祈禱をなした。

総兵衛の頭痛は薄紙を剝《はが》すように去っていた。

再び大黒屋の地下城の大広間に戻ってきた一行は、梅老師に従ってきた童二人を店座敷に寝かせて、総兵衛、光蔵、信一郎と梅老師の四人だけで話し込んだ。

「梅老師、総兵衛様に悪をなさんと企む者の仕業にございますな」

と光蔵が梅老師に急き込んで尋ねた。

老師は四つの稲荷社から集めてきたものを敷物の上においていった。一つはひとの遺髪で、もう一品は光蔵らには想像がつかなかった。

「古来、中国では玄武《げんぶ》、青龍《せいりゅう》、朱雀《すざく》、白虎《びゃっこ》を天の四方を司《つかさど》る四神《しじん》と崇《あが》め、拝してきました。玄武は北、青龍は東、朱雀は南、白虎は西に配して相応のかためとなしたのです」

「梅老師、四神崇拝はこの地でも中国とおなじこと、古来守り神にございますぞ」

「大番頭さん、これは四神ではありませぬ。妖怪の口に人間の心臓《しんのぞう》と遺髪を咥えさせ、本来あるべき東西南北の真逆の方角に玄武、青龍、朱雀、白虎を配して、闇四神に変じさせております」

「だれがまたそのようなことを」

「いつから闇四神があったかが分かれば、その相手は推測できましょう」

梅香林老師が艮の方角にあった四番目の稲荷社から回収してきた紙片を広げて三人の前に広げた。

「向後百年満願成就《じょうじゅ》の日まで鳶沢一族への恨みありて闇四神を配す。

宝永六年六月三日、保山《ほざん》」

とあった。

「保山とは柳沢吉保《やなぎさわよしやす》の隠居後の名、九十三年前の宝永六年（一七〇九）は綱吉《つなよし》様の身罷《みまか》られた年にして柳沢吉保が隠居した年ではございませぬか」

と光蔵が驚きの声を発した。

「九十三年前から代々の鳶沢一族は闇《やみ》四神に祟《たた》られて参ったか」

と信一郎が呻《うめ》くようにいった。

「柳沢吉保とはどなたにございますな。またなぜ大黒屋は柳沢の恨みを買われましたな」

と梅香林老師が呟くようにいった。

「老師、柳沢とは幕府の最高行政官にして政治家、五代将軍綱吉様の厚い信頼を受けて専断政治を行ってきた人物じゃ。大黒屋は幕府の触れに反して、海外交易などを手掛けたために柳沢吉保大老格と敵対し、幾たびも死闘を繰り広げてきた間柄じゃそうな。将軍の代理者たる大老格柳沢は死に際して、わが先祖に強い恨みを抱き、かような仕掛けをなしたものか」

と総兵衛が柳沢大老格と大黒屋、鳶沢一族との敵対関係を極めて簡単に告げた。

歴代の大番頭が筆記した『鳶沢一族戦記』から得た知識だ。

梅老師はただ小さく首肯した。

「われら、九十三年も柳沢の怨念《おんねん》に気付かずに過ごしてきましたか」

「九代目総兵衛様の労咳《ろうがい》も闇四神のせいにございますかな、梅老師」

と信一郎と光蔵が口々に尋ねた。

「そうかもしれませぬし、またただ病に侵されてのことかもしれませぬ。そのことを問い質《ただ》しても詮無《せんな》きことにございましょう」

「総兵衛様、梅香林老師のおかげで、九十三年にわたり大黒屋を悩ましてきた闇四神が明るみに出た上は、もはや総兵衛様と一族に禍《わざわい》をもたらしはしますまいな」

と光蔵がそのことを気にした。

梅老師が四匹の妖怪が口に咥えさせられていた心臓と遺髪を闇四神の位置に置き、再び筮竹《ぜいちく》を繰り、古書をひも解いて占った。

七つ(午前四時頃)の刻限が過ぎ、梅老師の瞑想《めいそう》と動きが止まった。

「この地から北におよそ一里半(約六キロ)、なにがございますな」

「北に一里半、荒川であろうか」

と光蔵が呟く。

「その場に大黒屋と関わりを持つ地があると老師は申されますか」

「いかにもさよう」

「ならば、柳沢吉保が権勢を振るった時代に建造された駒込《こまごめ》別邸、六義園《りくぎえん》と六義館がございます」

「ほう、その柳沢に所縁《ゆかり》の六義園とやらは、今はだれの持ち物にございますな」

「柳沢吉保の末裔《まつえい》、柳沢保光《やすみつ》様の持ち物にございます」

と信一郎が即座に応《こた》えていた。

「ほう、その別邸は未《いま》だ柳沢一族が使うておりますか」

「いえ、江戸で一、二を誇った名園も今や荒れ果て、狐狸《こり》妖怪の棲《す》み家《か》になっておると聞いております」

「だれも人間は棲んではおりませんかな」

「むろん柳沢家の持ち物ゆえ、別邸を護《まも》る家来衆は少数ながら住んでおりましような」

梅老師が総兵衛に向き直って、

「総兵衛様、闇四神の大本《おおもと》はどうやら六義園に未だありそうにございます。総兵衛様のお体の異変はこの根を絶つことがなにより肝要にございます」

と言い切った。

三

六義園を造園した柳沢吉保は陪臣百六十石から異例の昇進を重ね、ついには幕閣最高の地位といえる大老格に出世、徳川一門が封土することが習わしの甲《か》斐《い》国甲府藩十五万余石の藩主になった。

この出世の背景には五代将軍綱吉の格別の寵愛《ちょうあい》があったことはもちろんである。だが、綱吉の死とともに吉保の栄華の日々が終り、失意の晩年が巡りくる。

吉保の嫡子吉里《ちゃくしよしさと》に甲府藩は継がれ、吉里は享保九年（一七二四）に甲府から大和郡山《やまとこおりやま》藩十五万一千石に転封した。

吉里は畿内の雄藩として、「禁裏守護、南都火消、京都火消」の大役を命ぜられ、二代の信鴻《のぶとき》、保光、保泰《やすひろ》、保興《やすおき》、保申《やすのぶ》と六代百四十七年にわたり、大和郡山に在封した。それだけ藩政は安定しており、ことに信鴻、保光は藩主として治政の道に通じ、文を究め、商を興《おこ》し、殖産を図って藩財政を確固とした。

また初代藩主の吉里は前任地甲府で飼育していた金魚を大和郡山藩に持ち込み、家臣は金魚の飼育に努め、江戸まで、「大和郡山の金魚」

は知れ渡り、藩財政に貢献した。

柳沢家では代々江戸駒込の六義園を保持し続け、三菱財閥を興した岩崎弥太《やた》郎《ろう》が買い取る明治初めまで柳沢家の手にあった。

とまれ、時代が先に進み過ぎた。享和二年（一八〇二）の暮れに戻そう。

綱吉の寵愛のもとの異例な出世と失意を経験した大名の造営した六義園が柳沢家に保持され続けたのは、吉里以下の末裔ら藩主がいかに善政を積んだかの証《あかし》かもしれない。

だが、吉里らは吉保から受け継いだ六義園を父の失意の象徴と考えたか、この駒込の別邸を積極的に利用することなく、九十年近くの歳月が過ぎていった。

この界隈《かいわい》の人々は六義園が大和郡山藩松平家（柳沢家は幕末まで松平姓を保持した）の下屋敷として承知していたとしても、それが綱吉時代に異例の出世をなした柳沢吉保が栄華を極めた証として造営した名園、

「六義園」

と結びつけて考える者はなかった。

この日、唐人姿の年寄飴売《あめう》りが小僧を連れて、駒込道中の六義園門前をゆっくりと通り過ぎる姿が見られた。

唐人飴屋の主従に扮《ふん》したのは梅香林老師と大黒屋の小僧の天松だ。

猫背の老師は五尺（約一五二センチ）に満たない背丈でいよいよ小さく見えたし、天松のほうは大黒屋でひょろ松と呼ばれるほどに急に背丈が伸びて、

「ひょろ松はひと晩眠ると一寸伸びる」

と朋輩《ほうばい》らにからかわれるほどの長身だった。ために天松が優に一尺ほど高く見えた。

百年以上も前、駒込道中に乗り物が並んで江戸の豪商らが金品珍貨を持参して諸々《もろもろ》の嘆願を繰り広げた気配を窺《うかが》い知ることはできなかった。

それどころか四万七千坪におよぶ広大な六義園から人の気配はせず、荒れ果てた屋敷特有の淀《よど》んだ気配が漂い、時さえも止まったような感じが受け取れた。

「唐のナア、唐人の寝言には、アンナンコンナンおんなか、たいしかはえらくりうたひ、こまつはかんけのナア、スラスキヘン、スヘランシヨ、妙にうちよ

に、みせはんじょう、チャウシヤカヨカバニ、チカカラモ、チンカラモウシチンカラモウシ」

ひょろ松が思い出したように意味不明の唐人飴売りの引き歌を歌い、手にした団扇太鼓《うちわだいこ》を叩《たた》き、派手な三角帽子の梅老師がラッパを吹き鳴らして、客を誘おうとした。

松平家下屋敷六義園の北側は、上駒込村が続いていた。村とはいえ江戸外れだ、春ともなれば植木屋の多い染井あたりに花見にやってくる江戸の人々がいたから、人家が続いていたのだ。

すでに梅老師とひょろ松は、商いをする体で六義園の周りを一周していた。

六義園の北西の角で道は三叉《みつまた》に分かれていた。

二人は右手の道をとり、妙義坂に差し掛かると一軒の茶屋に入っていった。

すると奥の囲炉裏端《いろりばた》に総兵衛と後見の信一郎が寺詣《てらまい》りにでもきた出《い》で立ちでいた。

「おや、飴屋さんもひと休みですか、どうですね、商いは」

と如才なく信一郎が二人に声をかけた。

「まあまあでございますよ」

梅老師が三角帽子を脱いで板の間の上がり框《がまち》に丁寧に置いた。

「旦那《だんな》方は墓参りにございますか」

と梅香林が初めて会ったと言いたげに主従二人に問うた。

「なあに染井村に旦那様と桜の若木を見にきたのですよ。お店の中庭に染井吉野が欲しいと旦那様が申されるのでね」

「師走《しわす》というのに悠々たる暮らしぶり、大店《おおだな》の若旦那はしぶい道楽をお持ちですな。よい桜木が見つかりましたかな」

と梅老師が受けて、

「師走に慌《あわ》てて商いをしてもそう銭金が動くものでもございますまい。時に在所に出て、静かな時を過ごすのも英気を養うこつですよ。そのせいで枝ぶりのよい染井吉野が見つかりました」

「それはなによりでしたな、桜はお店に福をもたらしましょうぞ。この唐人飴売りが卜《ぼく》しました」

「それはありがたいご託宣にございますよ。ささっ、飴屋さんも小僧さんも囲炉裏端においでなされ」

信一郎が囲炉裏端に唐人飴屋の主従を招いた。

「風がないので助かりますが北側の水たまりでは氷が張っておりまして、手が冷え切ってしまいました」

梅老師が囲炉裏端に上がり込み、手を翳《かざ》した。

「姉さん、こちらの飴屋さんに茶となんぞ体が温かくなるものを拵《こしら》えてくれませんか」

と信一郎が願い、はーいと台所から声がした。

ひょろ松が小さな声で、

「汁粉があるといいな」

と呟《つぶや》いた。

むろんひょろ松はその店の名物の一つが染井汁粉と名付けられた甘味であることを承知して呟いたのだ。

「なに、飴屋の小僧さんは汁粉好きですか。姉さん、汁粉がございますかな」

「はいはい。うちの汁粉は搗《つ》きたて焼きたての餅《もち》が美味《おい》しいと評判にございましてな、花見時分には一日に百杯は出ます」

と番頭か、壮年の男衆《おとこし》が暖簾《のれん》から顔を突き出して応じた。

「ならばその名物の汁粉を四つもらいましょうかな。こちらで出会うたもなにかの縁にございましょう。唐人飴屋さんにも馳走《ちそう》がしたい」

「畏《かしこ》まりました」

信一郎の言葉に大きく頷《うなず》き、番頭が顔を引っ込めた。そして、よほど大店の主《あるじ》か、番頭さんがしっかり者ゆえ若い旦那は番頭にまかせっきりで鷹揚《おうよう》なものだ、と感心した。

昼前のこと、客は四人だけだ。

「どうでした」

信一郎が梅香林に囁《ささや》くような声で尋ねた。

「一番番頭さん、大いに怪しい屋敷にございますな」

「ほう、やはり訝《いぶか》しゅうございますか」

「近所の屋敷の中間《ちゅうげん》や女衆《おなごし》に聞くと柳沢様のお出では久しくないとのことでな、塀も破れ、中の庭も荒れ放題に見えまするな。じゃが、人の気配があって夜中に出入りがある」

「老師、いくら使わぬ別邸とは申せ、江戸外れに出入りのない下屋敷を放置しておくのは治安上もよろしくありますまい。幕府への体面もございますでな、最低限度の門番、留守番は常駐させておりましょう」

「たしかに門番、留守番の方々は表門近くの長屋に七、八人おります、こちらは殿様にさえ忘れられた下屋敷の奉公人、のんびりとしたものです。それとは別に鬱蒼《うっそう》とした森の中にいささか不穏な空気が漂っておりましてな」

と梅老師が報告した。

「老師、鳶沢一族と総兵衛様に悪をなす闇祈禱《やみきとう》を続ける面々が隠れ潜んでおると申されますか」

「どうやらその様子にございます」

「柳沢一族と六代目総兵衛様が最後の戦いをなしたのは、闇祈禱が始まった宝永六年（一七〇九）と一族に伝えられております。なんとも恐ろしくも気が長い呪《のろ》いにございますな」

「一番番頭さん、闇祈禱というものはそのようなものにございますよ。おそらくその者たちも代替わりしつつ、富沢町の大黒屋と代々の総兵衛様に祟《たた》りをもたらしてきたのでございましょうな。百年の呪いを柳沢はこの世に残して冥土《めいど》に向かったのです」

「ふうっ」

と信一郎が大きな息を吐いた。

思えば六代目以来、大黒屋総兵衛は七代、八代、九代と数えたが六代目勝頼ほどの旺盛な行動力と冒険心を持った武人にして商人に匹敵する人物は出てこなかった。それは柳沢吉保が最後に仕掛けた百年の呪い、闇祈禱の効果であろうか。

同時に影様からの御用が掛からなかった時期に符合した。闇祈禱はこの二つのことと関わりがあるのかないのか。

「老師、その数は」

「少なくて七、八人、多くてその倍の十数人」

「老師、柳沢吉保は綱吉様に寵愛《ちょうあい》されたとはいえ一介の陪臣から幕閣を動かす大老格にまで出世昇進した傑物、その方が鳶沢一族を相手に最後の仕掛けを企《たくら》んだとしたら、六義園にわずか十数人の者を残した程度のものであったであろうか」

総兵衛が疑問を呈した。

総兵衛勝臣は鳶沢一族の総帥《そうすい》に就位し、大黒屋十代目の主として富沢町に披露目《ひろめ》をなしたあと、鳶沢一族の戦いを記録した、

『鳶沢一族戦記』

なる三十七巻の一族の戦いの歴史を信一郎に従い、読み解いてきたのだ。

歴代の大番頭が筆記した戦記の冒頭には初代成元が家康公と約定した二つのことが明記されていた。

曰《いわ》く、

「第一に江戸城の鬼門、艮《うしとら》の方角に拝領地を頂戴《ちょうだい》し古着問屋大黒屋の看板を掲げ、表の貌《かお》たる惣代《そうだい》として古着商を束ね、資金を得る権利。

第二に裏の貌たる鳶沢一族を組織し、徳川幕府に役立つ情報を集める影の諜者を務める使命」

の二条であった。

初代成元の大番頭鳶沢正右衛門《しょうえもん》は、第一巻から第三巻にかけて鳶沢一族の最初の影働き、豊臣家の淀君《よどぎみ》ら強硬派らが徳川への臣従を拒絶したことに端を発する大坂城を包囲しての大坂冬の陣、夏の陣の間の江戸にある各大名方の密かな動向の探索を記していた。

いわばこの部分は家康生前の話で、『鳶沢一族戦記』の前史というべきものだ。

正史は第四巻から始まっていた。

その冒頭においてはまず、元和《げんな》二年（一六一六）四月十七日に駿府城で家康が、未《いま》だ安定せぬ天下の行く末を案じながら身罷《みまか》る半月前、家康の死の床で成元に極秘に申しつけられた、徳川百年の大計に鳶沢一族が果たすべき新たなる秘命、すなわち、

「影と力を相携え、陰の旗本となって徳川安泰に努めよ」

との密命が掲げられていた。

そのために富沢町拝領地とは別に、駿府久能山《すんぷくのうざん》北側、有度山《うどさん》の谷間を鳶沢一族の領地として与え、幕府身分として久能山霊廟《れいびょう》の衛士《えじ》としての任に就けるこ

とも付記されていた。

隠れ旗本となった鳶沢一族に下った最初の命《めい》は福島正則の改易をめぐるものであった。

以後、代々の大黒屋の大番頭によって記録された鳶沢一族の戦いの系譜は、一族の血と死の犠牲の上になり立っていた。

総兵衛は、信一郎を師に『鳶沢一族戦記』全巻を読破して、六代目総兵衛勝頼と五代将軍綱吉の側用人《そばようにん》にして幕府大老格柳沢吉保との死闘の数々を承知していた。

「総兵衛様、六義園に巣食う怪しげな面々はただ闇祈禱を護《まも》り続ける少数の輩《やから》ではないと申されますか」

と信一郎が総兵衛に問い返した。

「大御所家康様はわが初代の成元様に徳川百年の大計を授けて亡《な》くなられた。それをわが代々の一族は幾多の戦いにおいて血と命を犠牲にしつつ全《まっと》うしてきた。以来、二百年の歳月が経過した」

「いかにもさようにございます」

「信一郎、柳沢吉保が死に際《ぎわ》に残した百年の呪いじゃぞ。富沢町に闇四神《しじん》を埋め、この地、駒込道中に闇祈禱を続ける十数人を残しただけのものであろうか」

総兵衛勝臣は和国の事情と鳶沢一族の全容を未だ知らぬゆえに『鳶沢一族戦記』を素直に熟読し、その背後に隠された企みに気付いたのであろうか。

「と申されますと」

「私ならば、この六義園を通じて富沢町の他に駿州鳶沢村にも闇祈禱を施して死の刻《とき》を迎える。なぜなら久能山では常磐木《ときわぎ》某なる柳沢の刺客が六代目を襲うておる。当然、柳沢吉保は久能山と鳶沢一族の秘密を承知しておろう」

と総兵衛が言い切った。

「驚きました」

信一郎が不意打ちを食らったような表情で総兵衛を見た。

「家康様との百年の大計を全うした鳶沢一族に気の緩みが生じておりましたか」

「柳沢吉保が鳶沢一族と大黒屋に隙《すき》が見える時期を狙《ねら》って、闇祈禱の効果を上げると企てたとしたら、それが自らの死後百年だったのではないか」

ふうっ、と信一郎が大きな息を吐いた。

梅香林老師が異国の言葉で何事か総兵衛に告げた。すると見る見る総兵衛の若い顔に興奮と怒りの感情が走り、それを見た梅老師がその場に、
がばっ
と平伏して身を震わせた。

どのような会話がなされたか、信一郎と天松には理解できない。二人は無言劇をただ見守るしかすべはなかった。

長い時が流れ、総兵衛の顔にいつもの穏やかさが戻ってきた。

「老師、今坂一族はもはやこの世に存在せぬ。われら一族、交趾を逃れて船で漂流すること半年、六代目総兵衛様の故郷に辿《たど》りついて鳶沢一族の一員に迎え入れられた。いつまでも私がキ公子であってはならぬし、そなたがツロンの梅香林であってはならぬ。考えも言葉も行動もすべて鳶沢一族に学んで、鳶沢一族になりきってこの地で生きていく。そう誓ったな」

「老人め、愚かにもそのことを失念しておりました」

と平伏したまま梅香林が、

「総兵衛様、信一郎どの、ただ今より梅香林は消えました。それがし、和人林梅香《はやしばいこう》と生まれ変わりますゆえお許し下され」

と願った。

「わが気持ちが分かってくれればよい」

と総兵衛が言い、

「ささっ、老師、お顔を上げて下さい」

と信一郎が老師の手をとって囲炉裏端《いろりばた》に座らせた。

「後見、老師、十代目に就いたばかりのこの総兵衛を襲うた厄介だ。九十三年前、柳沢吉保がどのような百年の呪いを闇祈禱に託したか、最前も言ったが富沢町に闇四神を埋めただけの話ではあるまい」

「鳶沢村に急ぎ使いを走らせ、安左衛門《やすざえもん》様に鳶沢村の内外を調べてもらいます」

信一郎の言葉に総兵衛が頷《うなず》き、

「さらに御城の中に仕掛けが残されておるようなことはないか」

と言った。

「後見のこと、すでに分かっておろうがただ今の柳沢家、大和郡山藩十五万石が六義園の面々を承知しておるかどうかも気になる」

「早速四軒町に本庄義親《ほんじょうよしちか》様を訪ねてご相談申し上げます」

「綱吉様の死が宝永六年正月、六月には柳沢吉保が六義園に隠棲《いんせい》した。闇祈禱がその年から始まったとするならば九十三年、百年の呪いまで残りはまだ六年あるのだ。じっくりと腰を据えて保山の恨みに対処せねばなるまい」

総兵衛の言葉に頷いた信一郎が囲炉裏端から六義園の方角に眼差しをしばし送った。

「さてどうしたものか」

信一郎が自問するように言葉をもらし、一族の若い総帥の顔を見た。

「およそ三丁百八十余間（約六五〇メートル）四方の屋敷は、この九十三年手入れがされてないとすると鬱蒼たる森にございますぞ」

と林梅香老師が言った。

「その荒れ果てた庭園に棲《す》み暮らし、闇祈禱に従事してきた一統は六義園の隅から隅までとくと承知していましょうな。不用意に踏み込むのは得策とも思えず、されど一日遅れればその分、総兵衛様のお体に差しさわりが生じるやも知れず」

と信一郎がそのことを案じた。

「柳沢吉保の怨念《おんねん》、この九十三年のうちに薄れたか、はたまた歴代の総兵衛様方が壮健の折には、この闇祈禱の効果がなかったのか。私は若い、生気に満ちておる。一日二日遅れてもどうということはあるまい。幸いなことに老師のおかげで富沢町の闇四神は取除くことができた。こちらが六義園に踏み込むときは相手を殲滅《せんめつ》する気でかからねばなるまい。となれば、じっくりと六義園の闇に潜む輩の行動を見定めることが肝要」

「いかにもさようにございます」

と応じた信一郎が囲炉裏の灰に四角形を火箸《ひばし》で書いた。そして、その外に東西南北と四文字を記した。

四

「林老師、闇祈禱を受け継ぐ面々が潜む場所はどこと推測付きますかな」

林梅香と和名に変えた老師が信一郎から火箸を借りうけ、四角の中に斜めに流れを描いた。ほぼ六義園真裏から北東に向って蛇行し、その中央に泉水を表す楕円《だえん》を描いた。

「六義園を淀んだ空気と時が支配しております。じゃが、一つだけ水の流れが乾《いぬい》(北西)の方角から巽《たつみ》(南東)に向って、常に流れ動いておる。闇祈禱の面々はこの流れに紛れて出入りしておると考えられる」

と林老師が説明した。

「老師、私も未だ六義園に入ったことはございません。されど老師が書かれた水の流れは千川上水の流れを示しています。嶺花岡《みねはなおか》の背後から入り、吹上峰《ふきあげみね》の西を流れ、剣渓流《けんけいりゅう》と名を変えて敷地の北側で大きく曲り、巽の方角に流れ出ることを示しておるとみられます」

信一郎の説明に梅老師が頷いた。

「一統が水の流れに乗り六義園に出入りするのを確かめるために、見張所を設けとうございますが、総兵衛様、このこといかがにございますな」

「敵の動きを知るは戦いの要諦《ようてい》であろう」

「早速しかるべき場所に見張所を設けます」

と信一郎が応じたとき、汁粉が運ばれてきた。

「うちの汁粉は贅沢《ぜいたく》にも上等の小豆と砂糖を使うておりますで、なかなか美味にございますよ」

番頭がまず総兵衛の前に汁粉の椀《わん》を供した。天松の椀だけが大きくて、蓋《ふた》がない。

「若い小僧さんは量が多いほうがよかろうとな、丼《どんぶり》に注いでございます。餅《もち》も三つ入っておりますよ」

「ありがとうございます」

天松が舌なめずりをして箸を取った。

信一郎が四人に汁粉が行き渡ったのを確かめ、

「頂戴《ちょうだい》します」

と椀を手に取り上げた。

「客はあなた様方だけです、ゆっくりとなさって下さいな」

と膳《ぜん》を運んできた男衆《おとこし》と女衆《おなごし》が台所に下がった。

時節は師走《しわす》だ。だれもが正月を迎えるために走り回っていた。そのために駒込道中の三叉《みつまた》近くの茶屋に静かな時が流れていた。

「天松、戴《いただ》きなされ」

と信一郎が小僧に許しを与え、

「頂戴します」

と声を発するやいなや、丼の汁粉に箸をいれて、

「この餅の美味《うま》そうなこと」

と嘆息した。

「総兵衛様、老師、汁粉は初めてにございましょう。お口に合いますかな」

「どおれ、和国の甘味を賞味してみようか」

唐人飴《あめ》売りの扮装《ふんそう》で林老師が椀の汁粉を箸で食そうとしたが、

「汁ものを箸で食するのは私どもには難しい。なれど和人になった以上慣れぬ

となく」

と自らを戒めるように呟《つぶや》き、信一郎が、

「無理をなさることもございますまい、この場は一族の四人だけです。竹匙《たけさじ》があるかないか頼んでみましょうか」

と未《いま》だこの地の食物や風習に慣れぬ総兵衛と林梅香の二人を気にかけた。

「いや、われらは和人になる道を自ら選んだのだ、もはや異国からの客ではない。慣れよう」

と総兵衛が箸で餅を摑《つか》み、口に入れて嚙《か》みしめ、

「これはなかなか上品な風味だ」

とにっこり笑ったものだ。それを見た梅老師も椀の汁粉を啜《すす》り、

「何事も初めての経験とは得難いものよ」

と呟いた。

「ごちそうになりました」

唐人飴売りの林老師と天松が先に茶屋を出た。その前に天松が茶屋の厠《かわや》に用を足しに行った。

天松が厠を出ると信一郎の姿があって、

「天松、囲炉裏端で耳にした話、すべて胸に仕舞いこみなされ」

「一番番頭さん、天松の体には鳶沢の血が流れております」

「その言やよし」

と満足げに答えた信一郎が、

「一日二日急ぎはしませぬ。湯島天神のちゅう吉に連絡《つなぎ》をつけ、大黒屋に顔を出すように念を押しておいて下さい。子供のこと、忘れるといけません」

「承知しました」


茶屋にしばらく残った総兵衛と信一郎は大和郡山藩下屋敷の近く、駒込村の三叉付近をいかにも植木を探す主従の体で歩き回り、一軒の植木屋植秀に目をつけた。

植秀が駒込道中から一本裏手に入って目立たないこと、植木商いだけに敷地が広く、庭木があちらこちらに植わり、庭石がごろごろとしていること、また広い敷地に納屋《なや》や小屋が幾棟もあること、さらに六義園から流れ出た幅一間

（約一・八メートル）ほどの流れが植秀の敷地の中を通過していること、一番の要件は植秀が昔から六義園の手入れをしてきたことで、見張所としての諸条件を十分に備えていた。

総兵衛と信一郎は植秀の親方三代目の秀三郎《ひでさぶろう》に会い、正直に富沢町の大黒屋の主《あるじ》と一番番頭であることを告げて、敷地内にある納屋を半年ほど貸してはもらえぬかと交渉した。

「富沢町の惣代《そうだい》の大黒屋さんがまた上駒込村などになんの用で借家をなされますな」

と当然の疑問を口にした。

「春先はこの界隈《かいわい》、花見客で賑《にぎ》わいますな、そこで花見に来られた江戸や在所のお客様に露店で安く古着を買ってもらえぬものかと思いましてな、こうして主と下見に参りました」

「それは商い熱心なことにございますな。たしかに花見の季節には駒込道中に食いもの屋の露店や屋台は出ますがな、今まで古着商いをしようと考えた商人はおりませんぜ」

と応じた秀三郎がいささか訝《いぶか》しいとは思いながらも、富沢町の大黒屋と知り合うのも悪い話ではないと考えた。

「ようがす、どの納屋がご所望ですね」

「流れの側《そば》の二階屋の納屋にございます。借り賃は一月一両ではいかがです」

「なにっ、使ってもいない納屋に一両ですと」

破格の値だった。

「お好きなようにお使いなさい。うちの女に命じて掃除はさせておきます。夜具が入用なれば用意させときますぜ」

「ならば三組ほど、夜具代は別途支払います」

と信一郎が答えて見張所が決まった。

次の日から上駒込村の植秀の納屋に鳶沢一族の見張所が設けられ、三番番頭の雄三郎を頭に四番番頭の重吉、手代の田之助、猫の九輔《きゅうすけ》、小僧の兼吉《けんきち》に、相談役として林梅香老師がついて六義園の監視が始まった。

林梅香老師は昼間に寝て、日没後に流れを通る、

「気」を見張ることになった。

雄三郎らは、日中諸々《もろもろ》の荷売り屋に扮して大和郡山藩の下屋敷の長屋に入り込もうと企てた。

最初に表門脇《わき》の通用門から敷地に踏み込んだのは、猫の九輔で見張所の植木屋の秀三郎親方といっしょに門松飾りの打ち合わせに入ったのだ。

植木職人よろしくなりを整えた九輔は、角樽《つのだる》を持って秀三郎親方に従っていた。むろん植秀には見張所の借り賃としては過分の金子が大黒屋から出ていたし、大黒屋が江戸の古着商いを束ねて信頼があり、代々の総兵衛も人望が厚いことを秀三郎は承知していた。富沢町から引っ越してきた手代の九輔に、

「親方、六義園のお留守衆と知り合いになりたいのですがなんぞ手蔓《てづる》がございませんか」

と相談されたとき、それならば植秀の職人になりなさいと勧め、二つ返事で引き受けた。

「おお、秀三郎親方か。また一年が経《た》ったな」

「ご用人様、今年も宜《よろ》しくお願い申します」

と挨拶《あいさつ》した親方が、

「九輔、なにをぼおっとしているんだ、角樽を用人様にお渡ししねえか」

と注意し、

「あーい、親方」

と少々頭の弱い職人の真似《まね》をした九輔が上がり框《がまち》にどーんと置いた。

「九輔、酒なんてものはそう乱暴に揺するものじゃねえ、風味が失われるじゃないか。丁寧に扱うんだよ。ご用人様、間抜けな職人のことは見て見ぬ振りをして、どうかお納め下さい」

と秀三郎親方が口を添えると、

「なに、師走に角樽とは気が利《き》くな。じゃが、親方、上屋敷から頂戴する費えが年々少なくなってのう。門松代に回るかどうか」

「なにをおっしゃいますな。天下の大和郡山藩の柳沢様だ、うちが代々飾りものをやらしてもらってきたので、費えなんぞどうでもいいことでございますよ」

　と親方が鷹揚《おうよう》に返事をして、

「師走の二十日過ぎに参りますで、宜しく願います」

　と門松を飾る日にちを告げた。

　戻りかけた秀三郎親方が、

「ご用人様、ちとお伺いしてようございますか」

「なんじゃな、親方」

　角樽をもらった用人が上機嫌で応じた。

「いえね、うちの敷地をこちらの屋敷から流れ出る水が通っておりましょう。夜中にあの堀から生き物が流れてくるって、うちの職人が言うんですが、酔っぱらって見間違えたんでございましょうかね」

　秀三郎は大黒屋が植秀の納屋を借り受けた理由をなんとなく察して、訊《き》いたのだが、九輔は驚いた。

　秀三郎が幼いとき、爺様《じいさま》に、

「六義園の出入りを許されてきたが、あの屋敷には入らずの森がある。いいか、まかり間違っても悪さ仲間と六義園に潜りこんじゃならないぜ」

と言い聞かされたことを思い出していた。

この界隈の人間ならば、六義園を造園した柳沢吉保が毀誉褒貶《きよほうへん》相半ばする人物であることを承知していたし、敵対する一統や人物がいたことも知っていた。

だが、吉里の時代になって柳沢家の主の訪問が途絶えたこともあり、六義園はこの界隈で半ば忘れられた存在になっていた。

秀三郎は大黒屋の主従が植秀の納屋を借り、引っ越してきた大黒屋の奉公人の目がなんとなく六義園に向けられていると推測していた。ためにそのような問いをなしたのだ。

「なにっ、あれを見たか。親方、知らぬふりをしてくれぬか。六義園の敷地の中でも泉水の向こうはわれらも立ち入ってはならぬ場所で、入らずの森と呼ばれておる。なあになにがあるわけもないが、昔から狐狸妖怪《こりようかい》が棲《す》むところと言われておるのだ。獣らが流れを使うて出入りしておることはわれらも承知じゃが、屋敷内では見て見ぬ振り、知らぬ存ぜぬで通してきた」

「さようでしたか」

「なにがあるのか上屋敷でもだれも知るまいよ」

と用人が答えたものだ。

「ええ、分かりましたよ。つまらねえ話をしてしまってよ、そうだ、詫《わ》び代わりに九輔にご用人様のお住まいの長屋付近の庭木の手入れをさせましょう。いえね、お代なんていらねえですよ。こいつ、年季は入っているんだが、どうも今一つでしてね、経験を積ませたいんですよ。ええ、最後の点検はわっしがしますから、ほどよいかたちに仕上げますって」

「正月が近いで庭木がさっぱりするのは気持ちがよいが、職人をただ働きさせてよいか」

「職人はまず経験でさあ、こちらの手入れならこっちが銭を払いたいくらいでね、九輔を一人前の職人にする手伝いをさせてくれませんかね」

「相分かった」

これで九輔が六義園に自由に出入りすることになった。

　この日、総兵衛は信一郎を伴い、四軒町に大目付本庄豊後守《ぶんごのかみ》義親を訪ねていた。すでに用件は書状にて義親に伝えてある。

　義親が若い総兵衛を見た。

「総兵衛、加減はどうか」

　書状で柳沢吉保が百年の呪《のろ》いを鳶沢一族に仕掛けたのちに身罷《みまか》ったことや、富沢町から闇四神《やみしじん》が見つかったことを知らせてあった。ために義親が総兵衛の体調を案じたのだ。

「本庄様にお気を煩《わずら》わせて恐縮にございます。お陰様で頭痛は去りましてございます」

「それはよかった、義親、ひと安心致した」

　としみじみ答えた義親が、

「総兵衛、信一郎、柳沢保光様に面会をなした。わしが詰めの間に参り、雑談の体で話し合うたのだ」

　とこの日の用談に入った。

「早速のご対応、総兵衛、恐縮至極にございます」

と総兵衛がまず礼の言葉を口にし、大黒屋の一番番頭が、

「保光様はどのようなお殿様にございますか」

「宝暦三年（一七五三）生まれの保光様、五十歳になられるそうじゃが、まだまだご壮健の様子にて思想穏健にして治政に通じておられるのが目に見えた。評判どおりの大名かと存じた」

「ほう、穏やかなお人柄の殿様にございましたか」

大黒屋の調べでも保光の人物を悪くいう人がいないことが分かっていた。

「六義園のことはいかにお答えになりましたな」

「保光様、幼少より本所猿江《さるえ》と浅草瓦町芝新堀の下屋敷にはしばしば出かけたことはあるが、駒込の六義園を一度も訪れたことがないそうな。亡父信鴻様の命でな、六義園には近づいてはならぬと命じられたと正直に答えられた」

「して、その理由をお尋ねになられましたか」

と信一郎が尋ねた。

「尋ねた、信一郎」

と義親が答え、しばし間を置いた。

「六義園は柳沢家の栄光と失意の証《あかし》、われら末裔《まつえい》が六義園を利してなんぞ行えば、永慶寺殿保山元養（吉保の法名）様が権勢を振るわれた元禄《げんろく》の御代を思い出され、不快な思いをなさるお方もいよう。綱吉様の時代を愉快と思われる人ばかりではなし、過去を思い出して不快に思われる人々に、なんぞ詮索《せんさく》されても困る、という説明であったそうな。保光様は、柳沢家にとって六義園は吉保様の出世の証なれど、同時に失意の場でもあると申された。その言葉に嘘《うそ》はあるまい」

大目付本庄義親が穏やかな表情で総兵衛と信一郎に言い切ったものだ。

「殿様、相分かりましてございます」

「総兵衛、信一郎、保光様が別れ際《ぎわ》に興味深いことを申された」

「ほう、それはまたどのようなことにございますな」

「家斉《いえなり》様御側衆《おそばしゅう》本郷丹後守《たんごのかみ》康秀どのが近頃保光様に親しゅう声をかけてこられるそうな」

「なんとそのようなことが」

本郷康秀は鳶沢一族とは一心同体であるべき間柄、徳川幕府を陰から支え合

う隠れ旗本であり、それを監督する、

「影様」

であった。

信一郎が驚きの声を発したには理由がある。

六代目総兵衛が大船大黒丸を建造して密《ひそ》かな海外交易に従事した百年前から、鳶沢一族に影御用の命が下ることはなくなった。十代目総兵衛が就位した直後の先日、百年ぶりの呼び出しがあったばかりだったからだ。

影様はなにゆえ柳沢保光に接近しようとしているのか。

「本郷どのは保光様に天下の三大名園の一つ、六義園が見たいと仰《おっしゃ》られたそうな。そして、近々、この康秀を六義園に招いてはくれぬかと願われたとか」

「なんとも興味深い話にございますな」

と総兵衛が呟《つぶや》いた。

「総兵衛、興味深いを通り越していささか胡散臭《うさんくさ》い話ではないか。本郷どのの朋輩《ほうばい》衆は本郷どのの言動、いささか奇異なことが多く、家斉様の信頼厚いことも相まって本郷どのを避けておられるというより恐れておられる。こたびのことも奈辺《なへん》に真意があるのか、柳沢保光様も困惑なされた様子であった」

「保光様はどうお答えなされたのでございましょうか」

「この数十年、手入れもされておらず廃園同様ゆえいずれ手入れを致した折にお招きしたいと遠まわしに断られたそうな」

「さてさて、このことどう考えればよいものか」

と総兵衛が後見の信一郎を見た。

「本庄様のお調べのおかげで一つだけはっきりとしたことがございます。保光様が吉保の仕掛けた百年の呪いをいささかもご存じないことにございます」

「信一郎、わしも同感じゃな、このことまず間違いなかろう」

「その代わり、影様が柳沢吉保の企《たくら》みに気付いた形跡があると推測できます」

「総兵衛、そのことじゃ。鳶沢一族、心して本郷康秀どのにあたることよ」

と大目付本庄義親が言った。

影御用が途絶えた百年のうちに、大黒屋の秘めた使命は本庄家に自然に明かされていた。更に当代の影様が本郷康秀であることも、すでに義親に伝えられていた。

「闇祈禱が城中に仕掛けられておるかどうかの一件じゃが、師走の大掃除を名目にあれこれと調べさせたが、どうも見受けられぬ」

「それはようございました」

と応じた総兵衛が、

「殿様、最後に今一つ、お願いが」

と言い出した。

第二章　鳶沢《とびさわ》村の怪

一

鳶沢村では享和《きょうわ》三年の正月の仕度に入り、一族はこの日、最後の行事として久能山《くのうざん》の神君家康公を祀《まつ》る霊廟《れいびょう》の大掃除を男衆《おとこし》総出でなす、これが長年の習わしだった。

この年も残り四日、鳶沢村の長老安左衛門《やすざえもん》はいささか疲れを感じて、一族郎党が草むしりをし、霊廟を清める様子を陽だまりの石に腰を下ろして黙然とみていた。

この年、鳶沢一族は大きな災禍に見舞われた。九代総兵衛が跡継ぎを残さないままに労咳《ろうがい》で一生を終えたからだ。

「総兵衛、重篤《じゅうとく》」

の知らせに安左衛門は江戸に駆け付けた。

そのときの様子は今も鳶沢一族の三長老にして最年長の安左衛門の脳裏に深く刻まれていた。

総兵衛の高熱に潤《うる》んだ両眼は朦朧《もうろう》として、呻《うめ》き声を上げ続けていた。

「死の病」

と安左衛門は即座に悟った。その瞬間、九代目に跡継ぎがいない現実に思いあたり、愕然《がくぜん》としたものだ。

鳶沢一族の三長老として許されざる失態である。もはや鳶沢一族もこれまでかと安左衛門は虚脱した。

だが、九代目総兵衛が死の床で洩《も》らした一語の、

「血に非《あら》ず」

は奇跡を誘う予兆であったか、六代目総兵衛が遠く異郷交趾《こうち》に百年も前に残した血筋の若武者が富沢町の大黒屋を訪ねてきたのだ。

あのような出来事がこの世にあろうか。交易時代に異郷に夢を見た今坂《いまさか》一族と交趾の名家の末裔《まつえい》グェン・ヴァン・キ公子が十代目総兵衛勝臣《かつおみ》に変身したことで鳶沢一族は消滅の危機を逃れることができた。

安左衛門は霊廟に視線を送って、

（家康様、総兵衛勝頼《かつより》の旺盛なる好奇心と冒険心が一族を救いましてございます）

と胸の中で話しかけていた。

危機は去った。三長老のうちの二人、大黒屋琉球《りゅうきゅう》出店の仲蔵《なかぞう》も安左衛門も江戸を離れて持ち場に戻った。

江戸の大黒屋の大番頭、三長老の光蔵《みつぞう》がしばしば書状を寄越して、

「安左衛門様　十代目は六代目を彷彿《ほうふつ》とせしむる行動力と冒険心を秘めおらると存じ上げ候《そうら》えども、ただ今は其《そ》を心中深く秘し、信一郎より鳶沢一族の使命、大黒屋の商いを学び、われら一族と幕府との関わり等々必死に学びおらるるご様子、光蔵、若き十代目の懸命さ、思慮深さに感服いたすばかりに御座候。

これにて鳶沢一族と大黒屋は一先《ひとま》ず安心、総兵衛勝臣様、江戸事情と大黒屋の商いに精通なされしとき、わが一族の新たなる飛躍大きに期待され得るものと存じ居り候。

安左衛門様、唯《ただ》一つ危惧《きぐ》すべきは十代目に相応《ふさわ》しき女性《にょしょう》が未《いま》だ見当らぬことに御座候。鳶沢一族の弥栄《いやさか》は勝臣様に添うべき良き伴侶《はんりょ》とその御子にかかりて有ること自明の理。其をお膳立《ぜんだ》てするはわれら鳶沢一族長老の最後の務めに御座候」

などといささか過ぎた危惧を書き記してきた。その書状をふと思い出し、

「嫁女な」

と思わず呟《つぶや》いた安左衛門の言葉を聞いた久能山衛士《えじ》を束ねる組頭の有度《うど》の恒《つね》蔵《ぞう》が、

「安左衛門様、だれの嫁女を案じておられますな」

と聞いた。

恒蔵は鳶沢村の助長老の一人だ。

「恒蔵さん、決まっておろう。十代目の嫁女よ」

「十代目は大黒屋の主《あるじ》になられて未だ日が浅うございますよ。江戸の事情も未だお分かりではありますまい。またこの鳶沢村にお出《い》でになったこともない。諸々《もろもろ》の習わしに通じられてから、嫁様を貰《もら》われるがよかろう」

「恒蔵さん、それでは遅いわ」

「総兵衛様が急《せ》いておられるので」

「急いておるのはこのわしじゃ」

「ほう、安左衛門様がやきもきしておられる事情がございますので」

「わしも老いた。いつお迎えがきても不思議ではない」

「常々久能山詣《もう》でができるうちは元気な徴《しるし》と申されておりましょうが、今日も難なく霊廟に杖《つえ》にも頼らず二本の足で登ってこられた」

「三度も四度も足を止め、息を整えた」

「そりゃ、久能山の急崖《きゅうがい》に刻まれた九十九折《つづらお》れ坂を上るのは壮年のわしらもつらい。安左衛門様はわしの二倍ほどこの世に生きておられる。それくらいは致し方あるまい」

「鳶沢一族でまさか最年長になろうとは努々《ゆめゆめ》考えもしなかったがな、じゃが、ものは順番。この次、あの世に旅立つのはわしじゃ」

「老生は祝着至極《しゅうちゃくしごく》、慶事にございますよ、いつまでも長生きして下され」

「恒蔵さん、わしの長命を話していたのではないわ。江戸の主様の嫁女を見んことにはこの安左衛門死んでも死にきれん、そのことでしたぞ」

「十代目は聡明《そうめい》な若者と申されましたな」

鳶沢村の一族で十代目を知るのは安左衛門ら数人だけだ。

「おお、かの地で一族を率いてこられただけに大将の器が備わり、胆《きも》も据わっておられ思慮深い」

「様子はどうか、村長《むらおさ》」

「身の丈六尺を優に超え眉目《びもく》秀麗の尊顔は爺《じじい》のわしがみても惚《ほ》れ惚《ぼ》れするほどの男ぶりよ。あれで嫁女がいないとはな」

「村長、一刻も早く十代目に会いたいものよ」

二人の会話は何度も発した問いと答えだった。そのように恒蔵らは未だ見ぬ十代目総兵衛を思い描いてきた。

「今年はもはや残り少ない。来春には必ずや鳶沢村に十代目をお迎えするぞ」

「あの大きな船でか」

「イマサカ号か、あれは目だっていかん」

「なんでもよい、われら鳶沢村の一族は一刻も早く十代目にお目にかかりたい。嫁女のことはそのあとでもよかろう」

「いや、なんとしても嫁女をのう、決めてもらいたい」

と安左衛門が答えたとき、久能山の北側の林の中に人影がした。

(だれか)

と安左衛門が視線を送ると富沢町大黒屋の手代、全身汗みどろの早走りの田之助が姿を見せた。

「安左衛門様」

「江戸に異変か」

と安左衛門が血相をかえて立ち上がった。

「一番番頭さんからの書状にございます」

「なに、信一郎さんの手紙とな」

再び石の上に腰を落ち着けて、書状を受け取ると封を披《ひら》いた。

一族の者たちも霊廟の清掃をしながら江戸からの書状を気にしていた。

安左衛門は二度信一郎の記した書状を読んだ。そして、ゆっくりと書状を巻きとりながら沈思した。さらに同封されていたもう一枚の絵図面を広げて凝視した。

しばし霊廟前に緊張の時が流れ、

「田之助、ご苦労じゃった」

と安左衛門が早走りの田之助を労《ねぎら》い、霊廟に集う鳶沢村の男衆六十数人を集めた。その中から数人の若者が命じられてもいぬのに霊廟のあちらこちらに誰も近づかぬように見張りに立った。久能山衛士として鳶沢一族として自然の行動だった。

「いささか江戸に異変が生じた」

「まさか総兵衛様の身になんぞ起こったということではありますまいな」

助長老の一人、水車小屋の平造が聞いた。

「発端は総兵衛様の頭痛じゃそうな」

と答えた安左衛門が江戸で起こった奇怪な企《たく》みを告げた。

「なんと柳沢吉保《よしやす》はわが一族と大黒屋に百年の呪《のろ》いを残していたと申されますか」

平造は首を捻《ひね》りながら聞き返していた。

「総兵衛様に同道してきた林梅香老師が大黒屋の内外を卜《ぼく》して闇祈禱《やみきとう》を見つけられた。柳沢は自らの死後の恨みと祟《たた》りを大黒屋とその一族に念じ、企てたそうな。その結果、九代目総兵衛様が病を発症なされ、十代目に頭痛をもたらしたのではないかと江戸では推量されておられる」

「なんということが」

「柳沢が死んで九十年近い歳月が過ぎておりましょうに」

と口々に一族の者が言った。

「この闇祈禱、百年の呪いといわれるものじゃそうな」

「なんと百年も祟りますか」

平造に頷《うなず》き返した安左衛門が、

「田之助、他に報告することがあるか」

「江戸では柳沢吉保の別邸六義園《りくぎえん》にこの闇祈禱の大因《おおもと》があると考えておられ、

近々六義園に押し入る算段にございます。その前に鳶沢村にも呪われた闇祈禱が企てられてはおらぬか、総兵衛様らは案じておられます」

と田之助が応じて、

「柳沢は鳶沢村を承知ではあるまい。この村に怪しげな者が入り込めば、われらが先祖も黙っておられたはずはない」

と恒蔵が呟いた。

「いや、六代目総兵衛様と柳沢一統は幾多の戦いを繰り返したが、ある折に柳沢の手の者がこの鳶沢村に入り込んだと『鳶沢村雑記』は伝えておる」

と安左衛門が注意を促し、

「なにより六代目総兵衛様と柳沢の刺客が最後の戦いをなされたのは、この場、霊廟前じゃぞ。刺客がこの場に立った以上、柳沢吉保に伝わり、大黒屋の隠れ郷《ざと》を承知していたとしても不思議ではあるまい」

と安左衛門が憂慮の顔で言った。

「なんとわれらが鳶沢村に闇祈禱が行われておるってか」

鳶沢一族の男衆の間に怒りと不安が走った。

安左衛門が手にした絵図面を男衆の真ん中に広げた。信一郎が手描きした絵図面だ。

鳶沢村は久能山の北側、有度山《うどさん》の緩やかな斜面の谷間に広がっていた。その広さは東西一里十丁（約五キロ）南北に二里十七丁（約九・七キロ）であり、小高い有度山の頂き付近の岩場から湧《わ》き出す細流が鳶沢村の里山の間をうねうねと蛇行しつつ、久能山北の岩場から湧き出す岩清水を合流して鳶沢川となり、江尻湊《えじりみなと》へと流れ込んでいた。

鳶沢村の集落の中心は広場で、広場を取り囲むように八割方の一族の家屋敷、神社仏閣が集まっていた。

信一郎は広場の中心に立つ一本松の北玄武《げんぶ》を基点として、東青龍《せいりょう》、南朱雀《すざく》、西白虎《びゃっこ》の四方向から直角にずらした位置に徴をつけて、裏玄武、裏青龍、裏朱雀、裏白虎の闇四神《しじん》の闇祈禱がなされているやも知れぬと示唆《しさ》してきた。

「われらはこの鳶沢村の風景を当たり前のこととして受け入れてきた。だが、わしとて六十余年前の村の景色は知らぬ。わしが記憶する以前からこの村に地蔵様として、祠《ほこら》として、一族の先祖が残してきた以外のものがあるやもしれぬ」

「許せぬ」

恒蔵が立ち上がった。

「待て、恒蔵さん」

と平造が言い、安左衛門に向き直り、

「この久能山霊廟の四方にも闇四神が仕掛けられておることはございませんかな」

と問うた。

「大老格にまで昇りつめた柳沢吉保は、幕臣でありながら家康様の霊廟にまで奇妙な闇祈禱を仕掛けたであろうか」

「村長、念のためだ。信一郎さんが知らせてきた裏玄武、裏青龍、裏朱雀、裏白虎にあたる四方向を探りつつ村に下りませぬか」

「よかろう、恒蔵さん、四組に分けて百年の呪いが鳶沢村と久能山におよんでおるかどうか、詳しく調べますぞ。安左衛門様、久能山に見つからぬときは鳶沢村の捜索に引き続き入ります」

「願います」

安左衛門の声で鳶沢一族の男衆六十数人は清掃が終わった霊廟前に整列し、一礼すると四方向に散った。

その一組に早走りの田之助も探索に加わろうとした。

「田之助、私に同道しなされ」

と江戸から道端の地蔵堂などで仮眠しただけで、二昼夜走り通してきた田之助を安左衛門が呼び止め、

「光蔵さんは使いの他になんぞ命じられたか」

と聞いた。

久能山の北側の急崖の岩場に刻まれた九十九折れの石段に二人は向かって、霊廟から林に入った。最前、田之助が通ってきた道は木の下闇で師走《しわす》の寒気が漂っていた。

「鳶沢村に闇祈禱があるかなきか、その結果を村で待って江戸に戻れと命じられました」

「虱潰《しらみつぶ》しの調べをなす、今日には終わるまい」

「はい」

「いや、最前から考えておるが、六代目総兵衛様亡《な》きあと、この鳶沢村を毎年のように飢饉《ききん》や大雨が襲った。流行《はや》り病も五年とあげずに発症し、そのたびに何人かが亡くなった。それも闇祈禱の呪いと思えぬこともない」

「わしのおっ母さんも野良《のら》仕事の最中にころりで亡くなりました。おっ母さんはまだ三十前、死ぬ年ではございません。また二十四年前の夏はさほど暑い夏ではございませんでした」

「田之助、わしもおかよさんが死んだことが訝《いぶか》しゅうてならなんだ。そなたは三つか」

「いえ、四つにございました」

「鳶沢村でもしっかりとした体付きで気力体力旺盛《おうせい》な女衆《おなごし》であった。通夜《つや》の場でも弔いの席でもなんでおかよさんがという話が出た」

「翌年、漁に出た舟が穏やかな海で姿を消したこともございましたな」

「あった。あの折、わしの片腕の従兄弟《いとこ》の茂吉《しげきち》さんら三人が姿をかき消した。これらの災禍は柳沢吉保が残した闇祈禱がもたらしたものかどうか」

安左衛門の口調にはそれでも鳶沢村と久能山に柳沢吉保が遺《のこ》した闇祈禱など

ある筈《はず》もあるまいという願いも感じとられた。

二人は九十九折《つづらお》れ坂に差し掛かり、狭く急な岩場の坂道を下っていた。

「ほれ、あそこの斜面を鍛冶屋《かじや》の稲三郎さん方が下りていかれます」

と田之助があとから来る安左衛門に教えた。

不意に師走の空が暗くなった。

雲行きが怪しくなり、稲妻が光り、
ゴロゴロゴロ
と雷鳴が轟《とどろ》いた。

二人の眼下に鳶沢村が青白く浮かび上がった。

「ほう、たれぞが苛立《いらだ》っておるぞ。わが領地に柳沢の呪いなどある筈もないと思うておったが、闇祈禱の埋められた土の上をたれぞが踏みつけたか」

と安左衛門が迷う心中を洩《も》らした。

暗くなった天から雹《ひょう》が降ってきた。

「さわげさわげ、柳沢吉保の悪巧みなれば引きずりだしてくれん」

と鳶沢村の村長が言いきった。

「安左衛門様、大黒丸に何事もないとよろしいのですが。一番番頭の信一郎さんもそのことを気にしておられました」

金武《きん》陣七主船頭、幸地達高《こうちたっこう》助船頭、池城《いけぐすく》一族が乗り組んだ大黒丸は琉球に向って、いつもの交易の航海に出ていた。そして、そろそろ深浦の船隠しに帰着する頃合いだった。

「いくら柳沢様がこの世にあるとき、絶大な力を振るったとはいえ、もはや死して九十三年が過ぎた。闇祈禱とて海の向こうまで力が及ぶこともあるまい。

総兵衛様はなんぞ申されたか」

「総兵衛様はそのことについて何事も申されませんでした」

「他になにか申されたか」

「はい、安左衛門様への言付けがございます」

「田之助、それを先に言わぬか」

すでに二人は九十九折れの半分ほどを下っていた。

田之助が後ろを振り向き、安左衛門と向き合った。

再び鳶沢村の真上で稲妻が光り、雷鳴が轟いた。だが、最前ほどの迫力はなかった。それでも安左衛門の顔が青白く浮かんだ。

「正月が明けた春永《はるなが》に深浦を訪ねる。イマサカ号の修繕が終わっておれば、試走をなす。その折、久能山沖まで走らせ、深浦の今坂一族を久能山詣《もう》でと鳶沢村訪問に連れていくと、安左衛門に伝えよと申されました」

「しかとあの巨《おお》きな帆船で久能山詣でをなさると、総兵衛様が申されたか」

「申されました。迷惑にございますか」

「なんの迷惑があろうか」

と即答した安左衛門がしばし沈思し、

「総兵衛様は若いゆえな、富沢町で光蔵さんや信一郎相手の習い事ばかりでは退屈しておられたに相違ない。となるとあの巨船では鳶沢村訪問は目立つなどとお断りすることもできまい、なんぞ手だてを考えようか。それにしても春先早々この界隈《かいわい》が賑《にぎ》やかになりそうな」

にんまりと笑った。

「その前に柳沢が仕掛けた闇祈禱があるなれば光の下に引きずりだして、木っ端微塵《こぱみじん》に踏み砕かねばなりますまい」

「田之助、よう言うた。この鳶沢村に百年の呪《のろ》いを仕掛けたなれば、必ずや白日のもとに引きずりだしてみしょうぞ」

と安左衛門が言い切った。

二

久能山北側の急な岩場に刻まれた九十九折れの石段を下りてみると、滝壺《たきつぼ》付近で鍛冶屋の稲三郎らが闇祈禱を探していた。

「なんぞ怪しげなものは見つかったか」

「いまんところ見つかってねえ、村長《むらおさ》」

「稲三郎、五年前の夏、浜次とおりよの兄妹が滝壺に誤まって落ち、水死した騒ぎがあったな」

「あった、あった」

と稲三郎が応じながら、死んだ兄妹の父親の加吉を見た。

「村長、うちの浜次とおりよの水死には柳沢の闇祈禱が関わっているというか」

いきなり五年前の夏の悲劇を持ち出された加吉が安左衛門に尋ね返した。

「田之助と九十九折れを下りながら、おかよさんがころりと亡《な》くなった夏のことを話し合った。ひょっとしたらおかよさんの急死もそなたの子の水死も別の理由がなかったかと考えたまでだ。滝壺は一番番頭の信一郎さんがとくと調べよと指摘してきた裏朱雀にあたろう」

安左衛門の言葉に稲三郎ら男衆《おとこし》十数人が互いの顔を見合わせた。

「うちの浜次は六つじゃったが、軽はずみなことをする坊主ではなかった。それが三つのおりよの手を引いて滝壺に浮かんでいた。言われてみればおかしい、滝壺には近づくなとわしもおっ母も繰り返し注意してきて、浜次もあの日以外、この滝壺近くにきたこともあるまい」

加吉はそういうと綿入れを脱ぎ出した。

「加吉さん、師走の水は冷たいぞ、潜るか」

と稲三郎が驚きの声を上げた。

「浜次とおりよが闇祈禱なんぞの祟《たた》りに遭《お》うて死んだというのなら、父親のわしが闇祈禱を光の下に引きずりだしてみせる」

と加吉が決然と言った。

いつしか冬の稲妻と雷鳴は去って鳶沢村に師走の光が戻っていた。

「加吉さん、独りで潜るのは危ねえ、おれもいく」

と若い漁師の恒五郎《つねごろう》がいい、

「よし、二人の体に綱を巻け。なんぞあったら、いいか、腰綱を引け。皆が力を合わせて引き上げるでな。残りの者は焚火《たきび》の仕度だ」

と稲三郎が裏朱雀の闇祈禱を探す一族に命じた。それを聞いていた田之助が、

「安左衛門様、おっ母さんが斃《たお》れた郷田に行ってみたい」

と言い出した。

「よし、こっちは稲三郎らに任せて郷田を訪ねてみるか」

と安左衛門も田之助の考えに乗った。

鳶沢村の集落の中心の広場から真西に段々の棚田が広がっていた。郷田とか、段々田圃《たんぼ》と呼ばれるゆえんだ。

安左衛門と田之助が立つ田圃は刈入れを終えて、春を静かに待っていた。

拾い尽くした落穂をそれでも探してか、雀がちゅんちゅん鳴きながら飛び回

っていた。

長閑《のどか》な光景が二人の前にあった。

郷田の北側の谷間を人影がちらちらとしていた。こちらも一族の男衆が闇祈禱を探す影だった。景色の開けた郷田に闇祈禱など仕掛けられてないとみてか、北側の谷間に分け入っていた。

「おかよさんが倒れていた田圃を覚えておるか」

と安左衛門が田之助に聞いた。

「一枚上の田圃じゃぞ、安左衛門様」

二人は畦道《あぜみち》を上の田圃に上がった。

郷田の南にある滝壺付近は奇妙に静かだった。

加吉と恒五郎の潜りの仕度に時を要しているのか。

眼を転じると、鳶沢村の広場から一条の煙が上がっていた。

久能山の霊廟《れいびょう》のお清めが終わった翌日は、鳶沢一族総出での餅搗《もちつ》きをなす習わしがあった。その仕度に女衆が追われているのか、静かに立ち上がる煙はそんなことを連想させた。

「安左衛門様、雀の群れを見てくだされ。なぜか、畦が交差する田圃の西側には飛んでいこうとしませんぞ。落穂が落ちているのは、西田の畦下じゃ」

「いかにもさよう、なぜ雀が近寄らぬ」

一段下の西田は瓢簞《ひょうたん》型の溜池《ためいけ》の傍らにあった。

小さな瓢簞池は湧水《わきみず》が流れ込み、春になればおたまじゃくしが見られ、野鳥たちの水飲み場となり、鳶沢村の子どもらの遊び場の一つだった。

よくよく瓢簞池の東にある西田の畦下を眺めると気が停滞したように淀《よど》んでいた。ために雀も田圃の畦下に近付かないのか。

安左衛門が、

「南無妙法蓮華経《なむみょうほうれんげきょう》」

と口の中で誦《ず》した。

田之助は見ていた。西田田圃の艮《うしとら》の方角の黒い畦道から黒い煙がうすく立ち昇ったのを。

田之助は道中に携帯する護《まも》り刀の短刀を抜くと刃を翳《かざ》して、煙が立ち昇った畦の土手に近寄り、しばらくその辺りを凝視していたが、

「えいっ」

と裂帛《れっぱく》の気合とともに短刀の切っ先を畦土手に突き刺した。

「ぎえええっ！」

と地中からこの世の者が発すると思えない絶叫が鳶沢村一帯に響き渡った。

切っ先が貫いた何者かが暴れ動いた。

田之助は超絶した力に抗して、両足を踏ん張り、両手で短刀の柄《つか》を握り締めて、捉《とら》えたものを逃そうとはしなかった。

（おっ母さんの仇《かたき》、逃がしてなるものか）

田之助の気力が勝ったか、不意に短刀にかかる力が抜けた。だが、田之助は柄を握った手を緩めることなくさらに、
ぐいっ
と地中へと突き通した。

断末魔か、激しい痙攣《けいれん》が短刀の柄に伝わってきて、突然止《や》んだ。

田之助の手にかかる力が、
すすっ

と抜けた。

畦道の土手に片足をかけると田之助は渾身《こんしん》の力で短刀を抜いた。すると切っ先に真っ黒な嬰児《えいじ》のような生き物が絡《から》みついて光の下に身を晒《さら》され、蠢《うごめ》いていたが、
ことん
と動きを停止した。

「田之助、裏白虎《びゃっこ》の闇祈禱の正体じゃな」

「なんでございましょうな」

短刀の切っ先の物体はすでに嬰児の姿を変えて、ただ真っ黒な軟体物に変じていた。

「なにがあった、村長」

最前の絶叫を聞いたか、郷田の北側の谷間を捜索していた一族が走ってきた。

そして、田之助が虚空《こくう》に翳す真っ黒な物体を気味悪げに見た。

「それが柳沢吉保の闇祈禱の一つか」

と平水の岩十が呟《つぶや》き、訊《き》いた。

岩十はお清めに参加した鳶沢一族の男衆の中では安左衛門に次いで年長者だ。

「岩十の父《とっ》つぁん、おっ母が死んだのもこのものの仕業と思える」

田之助の呟きに呼応するように有度山の方角から歓声が上がった。どうやら裏玄武でも怪しげな物を見付けたようだ。

「安左衛門様、こやつ、どうしたもので」

「田之助、村にそのまま持ち帰り、他の三つの闇祈禱のものと合わせて供養《くよう》してやろうではないか。短刀の先に絡んだものが生き物であったかどうかは知らぬ。柳沢吉保の邪《よこしま》な考えに利用されただけであろう。魂魄《こんぱく》だけがこの世に留まり、地中から悪さを仕掛けるなど本意ではあるまい。供養してなんとか冥途《めいど》に送ってやりたいものよ」

と安左衛門が言い、また口の中で念仏を唱えた。

鳶沢村の広場に篝火《かがりび》が焚《た》かれ、仏壇が設けられて、鳶沢一族と縁が深い徳恩寺の住職が呼ばれてきた。

裏玄武《げんぶ》にあたる有度山の祠《ほこら》からやはり嬰児のような生霊が見つかり、さらに裏青龍《せいりょう》の蛇塚からもう一体が発見されて一族の男衆の手で止《とど》めを刺されて、広場に運んでこられた。

仏壇の前に刃に貫かれた生霊三体が置かれ、

「裏朱雀《すざく》組は苦労しておるようじゃ」

篝火にやにが染《し》み出た松の小割をくべた岩十が呟いたとき、広場に最後の男衆の一団が姿を見せた。

「村長、滝壺の底に骨壺があってよ、引き上げてみると赤子のようなものがうごめいていたぞ」

「稲三郎、仏壇に供えよ」

と最後の闇祈禱《きとう》の生霊が捧《ささ》げられた。

「加吉、恒五郎、ようやった」

寒の滝壺に潜り、闇祈禱を探しあてた二人を安左衛門が労《ねぎら》った。

「安左衛門様、これで倅《せがれ》と娘の仇を晴らすことができた。あの日以来、塞《ふさ》ぎ込んでおる嫁の気分も変わりましょう」

加吉がいうところに女房のおさんが姿を見せて、

「うちの子らはこの奇妙なものに引き寄せられて滝壺に落ちたのですか」

「おさん、浜次とおりよになんの罪咎《つみとが》もねえ、こやつらのせいだ」

と加吉が言うとおさんがその場に泣き伏した。

「皆の衆、この四つの不思議なものをわしらの手であの世に送ってやろうかのう。柳沢吉保の大黒屋憎し、鳶沢一族憎しの妄念《もうねん》の犠牲になったものたちよ。和尚《おしょう》、成仏《じょうぶつ》させて下され」

と安左衛門が願って、鳶沢村の老若男女全員が参加しての闇祈禱の生霊を供養する法会《ほうえ》が始まった。

享和二年も残り三日、江戸中のお店《たな》の奉公人や職人が正月を迎えるために忙《せわ》しげに駆け回っていた。

そんな最中、駒込道中の大和郡山藩下屋敷、通称六義園の、長年手入れを怠った表門が、
ぎいっ
と軋《きし》む音を立てて開かれ、今しも到着した乗り物一行を藩主柳沢保光が丁重

に迎えた。

六義園が久方ぶりに晴れがましくも家斉御側衆《いえなりおそばしゅう》の本郷丹後守《たんごのかみ》康秀を迎える姿だった。

過日総兵衛が大目付本庄義親《よしちか》を通して最後に願った一事を柳沢保光が聞き入れ、六義園見物を願う本郷康秀の六義園訪問が挙行されたのだ。

その折、保光は、

「荒れ果てた庭園にございますが、それでよろしければいつなりともお出《い》で下され」

と本郷邸に使いを発した。すると、

「なんと嬉《うれ》しきお許しかな。ぜひ柳沢吉保様の威徳を偲《しの》びたく即刻六義園に参上仕《つかまつ》る」

との返答をもらい、なんともこの日の慌《あわ》ただしい訪問になったのだ。

およそ百年前、六義園は柳沢吉保の絶頂の象徴として五代将軍綱吉を密《ひそ》かに迎え、ふだんでも商人たちが嘆願に訪れ、門前市をなす日々があった。

だが、綱吉の死とともに柳沢吉保の有頂天は足早に遠のいて一転門前雀羅《じゃくら》を張る有様となり、表門が開かれることはなかった。それが突然本郷康秀の訪問で駒込道中の界隈《かいわい》で口さがない連中が言い合った。

「なんだい、仰々しい行列が柳沢様の屋敷に入ったな」

「家斉様の御側衆本郷様だとよ」

「おっと、本郷様といえば幕閣の中でも売り出し中の大身旗本じゃねえか。柳沢様と組んで、また元禄時代の再現かね」

「元禄時代だって、もう百年も前の話だぜ。景気のいい時代は戻ってくるものか」

「わっしら、植木職人には関わりねえがさ、巷《ちまた》には贅沢《ぜいたく》な料理茶屋があちらこちらにできてるって話じゃねえか」

「そんな話と六義園に御側衆を迎えた話がどう関わりあるんだよ」

「だからさ、本郷様がさ、六義園を柳沢様から譲りうけて、ここをまた家斉様の接待の場に使おうって話じゃねえかえ」

「それが真《まこと》ならこの界隈に銭が落ちるかねえ」

「人が集まりゃ銭は嫌でも落ちようじゃないか」

「植木職人にもか」

「ああ、わっしらね、そいつは無理かね」

無責任にも久しぶりに陽の目を見た六義園を話題にした。

乗り物を柳沢邸の式台前まで着けさせた本郷康秀を柳沢保光が迎え、

「本郷様、春永に手入れの終えた六義園にお誘い申し上げたかったのでございます。まさかかようにも早いご訪問とは保光夢にも考えませんでした。屋敷は蜘蛛《くも》の巣だらけ、庭木は伸び放題、草ぼうぼうの六義園にございますれば、本郷様、ご不快ではございませぬか。保光、お招きしたはよいが無礼千万でなかったかと案じております」

保光は書状にも記した荒れ放題の現状を口にした。

「なんのなんの、花にもな、蕾《つぼみ》より盛りを過ぎたものを愛《め》でるお方もおられる。きれいに手入れの行き届いた枯山水もよいが、庭園まさに荒れなんとする風情《ふぜい》にな、無常を感ずる者もあります」

「本郷様は荒れ果てた庭がお好みにございますかな」

「保光どの、まさにそのとおりにございましてな、造り過ぎた庭はもう康秀食傷しており申す。かように百年の歳月が屋敷に庭に泉水にまとわりついた古色と申すか、廃《すた》れゆく風情こそ美の究極と考えておりましてな、保光どのはそうお感じになりませぬか」

うーむ、と唸《うな》った保光が、

「この六義園、本郷様に説明の要もございますまいが、われらの先祖吉保が遺《のこ》した庭園。吉保は綱吉様にお仕え致しましたゆえに、あれこれと毀誉褒貶《きよほうへん》多き先祖にございましてな、世間では今も悪い評判を立てられる祖先にございます。吉保亡《な》きあと、嫡子《ちゃくし》の吉里もこの六義園を訪れたことはそうなかったと聞いておりします。柳沢家にとって、なんとも複雑な思いをいたす下屋敷にございましてな」

と答えたものだ。

「それはなんとも勿体《もったい》ないお言葉かな。吉保様は名宰相、幕府二百年の中でも優秀なる大老格にござった。世間の評判など気にせず精々利用なされるがよい」

七千石の旗本が大和郡山十五万石の大名に傲慢《ごうまん》にも言い放った。

はっ、と畏《かしこ》まってみせた保光が、
「さて本郷様、それがし、ご案内をと申しても初めての訪問、六義園のどこが
どのようになっておるのやら皆目存じませぬ」
「保光どの、そのような心遣いはご無用に願おう。それがし、勝手に庭を散策
する許しを得られれば存分に楽しむ術《すべ》を承知しておりましてな。庭園荒れなん
とする景色をこの康秀、独り楽しませて下され」
と願った。
「それでは主《あるじ》の勤めを果たしたとは申せますまい」
「いえ、接待なきが真の接待と申すもの。本郷康秀、柳沢吉保様の夢を存分に
楽しませて頂きます」
と保光の案内を固辞した康秀が二人の小姓を連れて、泉水の周りを東側へと
歩み出した。
「本郷どのと申せば幕閣の中でも家斉様のお覚えめでたい閣僚だが、いささか
変わった趣味を持っておられる。わが先祖、吉里様は吉保様の死後百年、六義
園は利するべからずと言い残されたが、なんぞ曰《いわ》くがあっての六義園訪問か」

と保光が考えを巡らし、

「大目付本庄義親どのが本郷康秀どののことを気になさるのも訝《いぶか》し、とは申せ、吉里様の、『向後百年、柳沢家は幕閣から間をとり、要職に就こうなどとは考えず、藩政に尽くして領内の整備を図り、殖産に専念せよ』との遺言を守るにしくはなし。本郷どのと本庄どのがなにを考えられようが、わしの知ったことではないわ」

と石橋を渡り、中之島に向かう本郷康秀の後ろ姿を見送った。

この吉里の家訓となった遺言に従い、柳沢吉保以降、吉里、信鴻《のぶとき》、保光、さらに後代の保泰《やすひろ》、保興《やすおき》、保申《やすのぶ》と柳沢家六代が幕府の要職に就くことはなかった。

話が逸《そ》れた、もとに戻す。

六義園の大きな築山《つきやま》の藤代峠に上がった本郷康秀と御小姓の二人が池を眺め下ろす体で六義園の師走《しわす》の景色に目をやっていたが、屋敷の前に立つ保光に目を止めて、手を振った。

保光が手を振りかえすと本郷康秀が満足げに大きく手を振り、藤代峠の向こうに姿を没した。

「殿、大丈夫にございまするか」

と柳沢家の年寄長淵三郎兵衛が不安げな声で問うてきた。

「藤代峠の向こうは冥界《めいかい》、足を踏み入れてはならぬと柳沢家の家臣ならば承知にございます。本郷様にご注意なされましたか」

「注意申し上げたところで本郷様は藤代峠の向こうに入っていかれよう。家斉様の御側衆に借りも貸しも作りたくないでな、この際、余計な口出しをせぬにかぎるて」

「柳沢家に差し障《さわ》りはございますまいか」

年寄の問いに保光はしばし考え、

「口出しして不興を蒙《こうむ》るよりこの際、馬鹿《ばか》を通すほうがよかろう」

と答えたものだ。

三

享和二年も残り一日となり、富沢町界隈でも掛とりに回る番頭、手代の姿が大勢見られた。

この年、幕府は蝦夷地《えぞち》に蝦夷奉行所を設置し、東蝦夷地が松前《まつまえ》藩領から幕府直轄《ちょっかつ》領に変わった。

発端は寛政四年(一七九二)九月、おろしゃの特使アダム・ラクスマンが漂流民大黒屋光太夫《こうだゆう》を伴い、根室に来航したことだった。むろん、この光太夫、富沢町の大黒屋とは縁もゆかりもない。

ラクスマン特使は徳川幕府との通商を求め、光太夫、磯吉、小市の生き残り三人を連れての来航だった。

この騒ぎをきっかけに幕府は北の防備を迫られることになる。いや、おろしゃばかりか、日本の海域に異国列強の大型帆船が姿を見せるようになり、門戸を閉ざす徳川幕府へ無言の圧力をかけ始めていた。

時代が大きく変わろうとしていた。

前年、肥前の蘭学者志筑忠雄《しづきただお》はドイツ人のケンペルの書いた『日本誌』の一部を翻訳した『鎖国論』を編み、

「鎖《とざ》して通商交易を絶つことが国益に是か非か」

と禁忌の鎖国論に踏み込んで世に問うたのだ。

国内では大和国柳本藩内の綿作が不作で農民が陣屋に押しかける騒ぎを起こし、薩摩藩が琉球を通して清国《しんこく》産の薬品を輸入することを禁止し、薬品を琉球に押し返す事件が起こっていた。一方で幕府は薩摩藩に唐物抜け荷（密貿易）の強い取締りを命じていた。

鎖国を続ける徳川幕府に内圧外圧が静かにもたしかな足取りで忍び寄っていた。

そんな最中、琉球にこの年最後の交易に出向いていた大黒丸が帰港していた。

そして享和二年が終わろうとしていた。

富沢町の古着問屋大黒屋では、五つ（午後八時頃）の刻限に店の大戸を閉ざし、その日の売り上げの計算と蔵に残った品の付け合わせが大番頭光蔵、一番番頭の信一郎の指揮のもと、奉公人総出で行われていた。

その仕事が終われば大黒屋は正月の装《よそお》いに改められる。

そんな刻限、大戸が叩《たた》かれた。

「どなた様にございますか」

と小僧のひょろ松こと天松が臆病窓《おくびょうまど》を開きながら、土間から外へと声をかけた。

「天松、私です。手代の田之助が掛取りから戻りました」

と聞き馴染《なじ》みの声がして、

「田之助さんか、ただ今開けます」

と天松が通用口の戸を開けた。

着流しで掛取りに回っていたなりの田之助が空っ風とともに土間に入ってきた。むろん駿州鳶沢村を往復してきた田之助だが、いかにも師走の江戸風物の掛取りに回ってきた風に身を窶《やつ》した早走りの田之助だった。

「掛取り、ご苦労でしたな」

と一番番頭の信一郎が労《ねぎら》い、天松が通用口の戸を閉じて閂《かんぬき》をかった。

「大番頭さん、一番番頭さん、ただ今戻りましてございます」

と改めて田之助が大黒屋の幹部二人に報告した。

その田之助の額際《ぎわ》には汗が光り、塩が白く残っていた。

「一番番頭さん、田之助、奥へ」

と光蔵が命じて、頷《うなず》いた二人を伴い、総兵衛のもとに向かった。

総兵衛はこの日の朝、大黒屋の菩提寺《ぼだいじ》に墓参りをしたあと、佃島《つくだじま》沖で琉球型小型帆船に乗り換えて大黒屋の船隠しのある深浦を訪ねていた。むろん大黒丸帰着の情報を得てのことだ。

交趾から行動をともにしてきた今坂一族は、深浦にある総兵衛館で日本に一日でも早く馴染むように、言葉から仕来《しきた》り、仕草、食べ物などすべてのことを鳶沢一族に習っていた。

グェン・ヴァン・キ公子の身分を自ら捨てた総兵衛は幼い弟妹に会い、その成長ぶりを確かめ、大叔母方や一族の者とは年越しの挨拶《あいさつ》を済ませて、つい一刻（二時間）前慌《あわ》ただしくも富沢町に戻ったところだった。

「総兵衛様、田之助が戻って参りました」

と廊下から声をかけた光蔵に、

「ご苦労でしたな」

と若い声が応じておりんが障子を開いた。

総兵衛は書き物をしていた様子で手にガラスペンを持っていた。総兵衛はむろん筆も使いこなしたが、私用の書き物では交趾で使い慣れたペンを筆記具としていた。

「おりん、田之助に飲み物を」

と気遣った総兵衛に頷き返した美貌《びぼう》の女子《おなご》が次の間に消えた。

「総兵衛様、ただ今戻りましてございます」

早走りの田之助が大黒屋の十代目にして鳶沢一族の総帥《そうすい》に復命した。

江戸から駿州鳶沢村まで四十五里（約一八〇キロ）余を足掛け五日余で田之助は往復していた。道中は仮眠しただけ、鳶沢村でも寝床で体を休める余裕などなかったことは塩の吹いた顔と無精髭《ぶしょうひげ》が物語っていた。

「総兵衛様、分家の安左衛門様からの手紙にございます」

田之助が油紙に包んだ薄い書状を差し出した。受け取った総兵衛は、

「書状は後ほどゆっくりと読ませてもらいます。その前に田之助の口から報告を聞きましょう」

と厳しい御用を果たした田之助に命じた。

「はい」

と頷く田之助の前におりんが温《ぬる》めに淹《い》れた茶を供し、

「田之助さん、まずは喉《のど》を潤《うるお》して下さいな」

と微笑《ほほえ》みかけた。

「頂戴《ちょうだい》します」

三口で茶を喫した田之助が、

「おりんさん、馳走《ちそう》にございました」

と茶碗《ちゃわん》を返して、総兵衛に改めて顔を向けた。

「総兵衛様、ご一統様、鳶沢村にも闇四神《やみしじん》が仕掛けられておりました」

やはりそうでしたか、と光蔵が呻《うめ》いた。

「一番番頭さんのご指摘をもとに直ちに捜索に入りました。すると裏玄武《げんぶ》は有度山に、裏青龍《せいりょう》は蛇塚に、裏朱雀《すざく》は滝壺《たきつぼ》に、裏白虎《びゃっこ》は郷田の畦《あぜ》……とそれぞれ見つかりました」

「どのような仕掛けか」

と信一郎が問うた。

「私の母親がころりで斃《たお》れた郷田の畦にはどこから盗んできたか、生霊の嬰児《えいじ》の骸《むくろ》が埋められておりました」

「なんと嬰児の骸ですと、生きておったか」

と光蔵が田之助に尋ね、田之助が首肯した。

「田之助、待ってくだされよ。そなたのおっ母さんが若死にしたのも生霊のいたずらと推測されるか」

「一番番頭さん、そればかりではございません。五年前、加吉さんの子の浜次とおりよ兄妹が滝壺に落ちたのも闇祈禱《やみきとう》のせいではないかと鳶沢村では推測しておられます」

「柳沢の闇祈禱、鳶沢村にまで及んでそのような犠牲を繰り返していたか」

「大番頭さん、六代目総兵衛様が亡《な》くなられたあと、鳶沢村を毎年のように大雨やら流行《はや》り病が見舞ったのも闇祈禱が効いておるせいではないかと安左衛門様も申されておりました」

「吉保が死して八十八年の歳月が過ぎたというのに人の怨霊《おんりょう》は残るものにございますか」

とおりんが呟《つぶや》いた。

「総兵衛様、ご一統様、闇祈禱に捧《ささ》げられた生霊の嬰児の骸を鳶沢村の広場に設けられた仏壇に捧げて、徳恩寺の和尚《おしょう》様を呼び、鳶沢一族総出で供養《くよう》致しますと読経《どきょう》が四半刻《しはんとき》（三十分）におよんだころ、白布にくるんだ四つの骸から、ぼおっと灰色の煙が立ち昇りまして、天へと静かに立ち上ったのでございます。

その瞬間、鳶沢村の広場に涼しげにも微風が吹き通ったようで、私どもの気持ちも爽《さわ》やかになりましてございます。おりんさん、あれは間違いなく柳沢がこの世に残した闇祈禱が未だ力を喪《うしな》っていなかった証《あかし》だったのではございますまいか」

「なんとのう」

と光蔵が呟いたが、総兵衛はなにも言葉を発しない。

「私、安左衛門様が手紙を書く間、許しを願っておっ母さんの墓参りをしてきました。私が墓石の前にしゃがんで亡き母と対面しますと、すうっと一滴墓石を涙のような水滴が伝い流れたのでございます。あの日、鳶沢村に雷鳴が轟《とどろ》き、雨が落ちたところもございました。されど雨が遠のいて時も過ぎ、どこの墓石も濡《ぬ》れてはいませんでした」

「田之助さん、おかよ様の涙と思われたのですね」

「郷田の畦道の土手に埋まっていた生霊を短刀で刺し貫いて息を止めたのは、倅《せがれ》の私にございます。母は私が仇を討ってくれたことに感謝しておると伝えたかったのではございますまいか。鳶沢村から江戸への帰り道、私の足はだれかに助けられておるように軽やかにございまして、一息に箱根八里を越えましてございます」

ふうっ
と光蔵が大きな息を吐き、総兵衛を見た。

「田之助、ご苦労でした。台所で食事をなされ」

と総兵衛が駿府《すんぷ》への使いを果たした手代をその場から去らせた。そして、

「時の宰相、柳沢吉保が鳶沢一族に闇祈禱なる呪《のろ》いをかけた。六代目総兵衛様と柳沢吉保が戦いを繰り返して以来、長い歳月が過ぎたというにわれら大黒屋と鳶沢一族には、未だ邪悪な禍《わざわい》が仕掛けられておる、直ちに闇祈禱を破却せねばなるまい」

決意を語った。

「いかにもさようでございますぞ」

と即座に光蔵が応じて、

「だれもが承知のように富沢町の大黒屋と鳶沢村に仕掛けられた闇祈禱は破却された。残るのは駒込道中の柳沢別邸六義園にこの闇祈禱の大因《おおもと》が残っておると推測されまする、総兵衛様」

と言い継いだ。

「大番頭さん、一族の者を地下城へ集めて下され。われら、来春までこの怨霊を江戸の地に残したくない」

「承知しました」

と光蔵が立ち上がろうとすると信一郎が、

「総兵衛様、大番頭さん、しばらくお待ち下され。過日の本郷丹後守康秀様の六義園詣《もう》でを無視してようございますか」

と質《ただ》した。

あの日、本郷康秀は六義園の中にある藤代峠を越えて、入らずの森に姿を没した。

上駒込村の植秀に見張所を設けていた鳶沢一族の面々も六義園の中へと入り込み、本郷康秀の行動を監視しようとした。だが、あの日にかぎり六義園の塀に目に見えぬ、

「壁」

が立ち塞《ふさ》がり、なんとしても突破して潜入しようとする鳶沢一族を阻《はば》んだ。信一郎から無理をするなと命じられていた見張所の重吉らは外から見守る他に手立てはなかった。

本郷康秀ら三人が入らずの森に姿を消して二刻半（五時間）後、夕暮れの刻限に柳沢保光の待つ屋敷へ秀康一人が戻ってきた。

柳沢保光は本郷の両眼が異様な光を帯びて、物《もの》の怪《け》に憑《つ》かれたような表情を見せているのに驚きを禁じえなかった。

「本郷様、入らずの森に参られたようですが、なんの迷惑もございませんでしたかな。御小姓たちは御一緒ではないので」

と柳沢保光が二人の小姓はどうなったかと尋ねた。

「保光どの、小姓じゃと、そのような者は連れていかなんだ」

本郷の声が甲高く変わり、怪しげな笑みが浮かんで、

「保光どのはよい屋敷をお持ちかな。この本郷康秀、羨《うらや》ましく存ずる」

と続けた家斉の御側衆が、
けらけらけら
と笑い声を上げた。

「柳沢様は本庄の殿様に、いささか気味が悪うて同道した小姓二人の行方がどうなったか、それ以上は尋ねられなかったと申されたそうな。本郷康秀様が六義園の入らずの森でだれに会い、なにをなしたか、われら未だ突き止めておりませぬ」

と信一郎が言った。

総兵衛が光蔵を見た。

「慎重居士の信一郎らしいな。たしかに本郷康秀様の行動、気にかかる、なにが二刻半も入らずの森に留めましたかな」

と光蔵がこんどは総兵衛を見返した。

「柳沢吉保がこの世に残した闇祈禱を本郷康秀様が受け継がんと入らずの森に入られたと、この総兵衛は考えておる」

総兵衛の答えは明快だった。

「いかにもさようかと心得ます」

信一郎が答え、

「本郷康秀様は影様にございます」

「いかにもさよう」

と光蔵が信一郎の言葉に応じた。

「われら鳶沢一族は影様と切っても切れない仲、幕府を護持するため一心同体の間柄を務めねばなりません」

「後見、この総兵衛にどうせよと言うか」

「総兵衛様、六義園にわれら一族が入り込んで、闇祈禱を破却すること急務にございます。ただ六義園に入るわれらの行動は影様に敵対する意思と本郷康秀様はすぐに察せられましょう」

「行動する時期を待てと後見は申すか」

信一郎が大きく顔を横に振った。

「いえ、そうは申しませぬ。影様と対決する覚悟が総兵衛様におありになるかどうか、失礼を顧みず問うております」

しばしその場に沈黙と緊迫の時が流れた。

鳶沢一族の行動はすべて総帥《そうすい》総兵衛の決断一つに掛かっていた。

だが、その決断も長老やそれに準ずる後見の信一郎らの理解がなければ、一族の力が一つにならなかった、力が発揮できなかった。

「後見、鳶沢一族がこれまでの戦いの中で影様と対決したことはなかったか」

総兵衛は『鳶沢一族戦記』を読んでそのことを承知していた。

「ございました」

「その危難をどう乗り越えてきたか」

「代々の総兵衛様は、鳶沢一族の行動に私利私欲なく幕府のおんために家康様との約定によって授けられた使命を守り抜くとの考えに至ったときには敢然と影様と戦われ、一族もまた、その命に従いましてございます。ために多くの犠牲が出たこともございます」

「信一郎、こたびの影様の行動、どうみるか」

と総兵衛が改めて後見に問うた。

長い沈黙のあと、

「影様はわれら鳶沢一族の役目を奪いとるおつもりではございますまいか」

「家康様がお考えなされた、影様とわれら鳶沢一族の相互監視の体制を壊して、二つの力を一つにせんと考えたと申すか」

と総兵衛が問うと信一郎が重々しくも頷《うなず》いた。

「信一郎の考えがあたっておるかどうか、こたびの本郷康秀様の行動、天下に大乱を招く恐れある、いささかならず軽率なるものと総兵衛は考える。六義園にわれらが入ることによって本郷康秀様のお考えがさらにはっきりいたそう。そのとき、この総兵衛も代々の総兵衛様が思案なされたように思案し、決断いたそうかと思う。それでよいか、後見」

信一郎が総兵衛の前に平伏し、

「われら鳶沢一族、最後の一兵まで最後の血の一滴まで十代目総兵衛様に捧げまする」

と総兵衛の考えに得心したことを告げた。

「よし、一族を地下に集めよ。明日、新しき年の光が地を照らす前に百年の呪いを破却致す」

「畏《かしこ》まって候《そうろう》」

総兵衛を始め、鳶沢一族の江戸の本丸地下城に一族の面々が集められた。

富沢町に留守を預る光蔵ら十三人の男衆《おとこし》を残し、古着問屋大黒屋江戸店に奉公人として勤める面々が地下城に下り、海老茶色《えびちゃいろ》に双鳶《ふたつとび》の家紋が染め抜かれた戦衣に身を包んだ。

これで大黒屋の奉公人は鳶沢一族の戦士に代わった。

出陣組の数二十七人。すでに駒込道中の見張所に四番番頭の重吉ら七人がいたから、六義園潜入部隊は総兵衛、林梅香老師を入れて総勢三十六人となった。

十代目総兵衛が組織だって鳶沢一族を動かす初めての戦《いくさ》だった。

駒込道中の見張所へ天松が使いに走らされた。残る二十六人を信一郎は四組に分けた。六人と七人の組が二組ずつできた。

六義園侵入部隊の一之組七人は信一郎が自ら指揮しての斬《き》り込み隊だ。その援軍には二之組六人があたる。この者たちは今坂一族から伝わった弩《ど》を背に負っていた。

三之組七人は入らずの森の闇《やみ》を光に変えるべく強盗提灯《がんどうぢょうちん》や篝火《かがりび》を携帯した。その三之組を警護するのが四之組六人でこちらは薙刀《なぎなた》や短槍《たんそう》を持参していた。

総兵衛勝臣は鳶沢一族の総帥《そうすい》たる頭領の象徴、三池典太光世《みいけでんたみつよ》を腰に差し、ツロンから携帯した宝飾剣は武器庫に残していた。

その代わり、懐《ふところ》にイギリス商人から贈られた決闘用拳銃《けんじゅう》一丁を携帯することにした。この決闘用拳銃は貴族の持ち物だったとか、象嵌《ぞうがん》が施された八角の滑腔《かっくう》銃身を備えて、機能が単純だった。また総兵衛の傍らにはいつの間にか黄色の長衣に着替えた林梅香老師が従っていた。

総兵衛が仕度を整えたのを見届けた信一郎が、

「出陣じゃぞ！」

と一族に叫び、

「おおっ！」

という雄叫《おたけ》びが響き渡った。

地下の船隠しに待機していた三艘《そう》の五丁櫓《ろ》の早船に分乗した二十八人は、静かに入堀に出ると大川に通じる音無川へと向かった。

音無川を遡《さかのぼ》り飛鳥山《あすかやま》下に船を付ければ、滝野川村、西ヶ原村を経て駒込道中はせいぜい半里（約二キロ）の道程にあった。

四

享和二年の師走大晦日《しわすおおみそか》から一刻《とき》（二時間）過ぎた八つ（午前二時頃）の刻限、駒込道中の大和郡山藩下屋敷、通称六義園の入らずの森に妖《あや》しげな空気が漂った。

月齢に従い、夜空にか細い弦月があった。

六義園入らずの森は真の闇だ。

異様に臭《くさ》い脂《あぶら》の臭《にお》いが漂い、

ぽおっ

と灯りが一つ灯《とも》された。

人の気配がした。

灯りが二つ、三つと増えていき、四つ目が灯されると灯りは習わしに従い、裏玄武《げんぶ》、裏青龍《せいりょう》、裏朱雀《すざく》、裏白虎《びゃっこ》の方角に置かれた。

狼《おおかみ》の尻尾《しっぽ》の灯心が狼の脂肪から絞り出された脂を吸って、小さな灯りを灯していた。

陰陽師《おんみょうじ》賀茂《かも》火睡《かすい》が入らずの森にぽっかりと開いた空き地に黒御幣を振って、闇祈禱《やみきとう》を始めた。するとそれまでただの空き地だったところに、

「富沢町」

が再現されて四つの灯りに浮かび上がった。

江戸城の鬼門の艮《うしとら》を死守する鳶沢一族の隠れ城であり、古着商の町富沢町の商いの中心の、

「大黒屋」

に光と闇がまだら模様を描いた。

賀茂火睡が振る黒御幣から生じた灯りが「富沢町」を二百年余にわたり、蔭《かげ》に日向《ひなた》に引っ張ってきた富沢町惣代《そうだい》の拠点を浮かび上がらせたのだ。

本物の大黒屋は、一辺二十五間六百二十五坪の拝領地に黒漆喰総二階土蔵造りの堂々たる建物だ。外観からみれば古着問屋、商家である。

だが、ここには隠された貌《かお》があった。隠れ旗本として生きる鳶沢一族の武の本城がこの二十五間四方の土地に隠されていた。この武と商の二つを全《まっと》うする使命を負わされた一族の生き方が真の大黒屋の建物には滲《にじ》み出ていた。

三百分の一に縮尺された「富沢町」の町並みは百年近くも前、甲斐国甲府から連れてこられた雛人形師《ひなにんぎょう》が作り上げたものだった。三万余夜の闇祈禱に深夜の一時《いっとき》、浮かび上がる「富沢町」は、それなりに古色を帯びた町並みだった。それは百年の呪《のろ》いを遂行するために造られた幻影の富沢町と大黒屋だった。

「富沢町」の鬼門に鶏の胆《きも》と血が捧《ささ》げられ、祈禱が始まった。

賀茂火睡の祈禱に合わせて、仕込み杖《づえ》を携帯した十七人の白衣の男たちが「富沢町」の四方を固めて警戒した。

妖しげな儀式が四半刻《しはんとき》（三十分）も続いたか。

この夜、賀茂火睡は祈禱に集中できなかった。何者かが陰陽師賀茂の気を乱していた。

(何者が入らずの森に関心を持ったか)

過日、家斉の御側衆本郷康秀が二人の小姓を伴い、大胆にも禁忌の森に踏み込んできた。

「敵ではない、味方ぞ」

と本郷康秀が言い、貢物《みつぎもの》を置いて帰った。

本郷が味方なれば気を乱す者は別人でなければならない。本郷の訪問に興味を持っただれかの仕業か。

百年の呪いはあと七年で満願成就《じょうじゅ》の日を迎える。それを前に本郷康秀は迂闊《うかつ》にも何者かを招き寄せてしまったようだ。

「三俣《みつまた》」

と白衣の頭分を呼んだ。

「本郷康秀どのが持参した貢物、存分に堪能《たんのう》したか」

「火睡様、青き蕾《つぼみ》なれば楽しみはこれからかと存じます」

「生き胆《ぎも》を抜く、これへ」

三俣と呼ばれた頭分が愕然《がくぜん》と賀茂火睡を見返した。

「承知仕《つかまつ》った」

三俣が手下を指名すると真っ暗な森に白衣の姿を消した。が、すぐに縄で縛《いまし》められた小姓二人を伴い、火睡のもとに戻ってきた。

火睡が黒御幣を振った。

すると「富沢」の町並みの外、鬼門の地面に灯りが点じられた。そこには四本の杭《くい》が地面に打ち込まれていた。言葉を発する力もないのか、一人の小姓が引き立てられ、四本の杭に手足が縛られようとした。

「なにをなされます」

小姓は娘のような声を発した。いや、小姓姿だが若い娘だった。

「知れたこと、そなたの生き胆を捧げるのよ」

と三俣が答え、いやじゃ、と娘が後ずさりしようとした。が、手下の一人が縛めた縄の端を引いたので娘の体が杭のところに転がった。

「ほれ、縛りつけよ」

と賀茂火睡が命じたとき、もう一人の小姓が、いや、こちらも娘だろう、暗黒の闇に向って縛められた体で突進し、逃げようとした。

三俣が金棒を摑《つか》んで小姓姿の娘に投げるや背中を金棒が貫いて、大木の幹に釘付《くぎづ》けにした。

「いやじゃ、いやじゃ」

と残った一人が頭《かぶり》を振った。

そのとき、六義園入らずの森の淀《よど》んだ空気を揺らして風が吹き抜けた。千川上水の水門から吹き込む風だった。

賀茂火睡の黒御幣が、

ばさり

と音を立てて止まった。

「何奴《なにやつ》か」

「そなたらが夜な夜な闇祈禱をなす相手よ、鳶沢一族の総師十代目鳶沢総兵衛勝臣、参上！」

と若い声が応じた。

「しゃっ」

賀茂火睡陰陽師が驚きの声を上げた。そして、本郷康秀が招いた者たちは鳶沢一族だったのかと気付かされた。

「百年の闇祈禱につい緊張を欠いたか。御側衆本郷康秀様の動きを注視しておったか」

「いかにもさよう。それに今一つ、わが林梅香老師がそなたの闇祈禱を入らずの森の外より散じられたでな」

と総兵衛が答え、白衣の男衆が仕込みを抜くと直刀がぎらりと灯りに光った。

百年の呪いをかけられた富沢町を背に対決の構えを見せた。

「生きては返さぬ、鳶沢総兵衛」

「死んでもらうのはそのほうらよ。富沢町と鳶沢村に仕掛けられた闇祈禱の生霊はすべて取り除いた。残るは六義園入らずの森で夜な夜なされる闇祈禱の破却」

「抜かせ」

賀茂火睡が叫び返したとき、四方八方から強盗提灯が照射され、煌々《こうこう》と燃える篝火《かがりび》が闇祈禱の場を照らしだした。

「本郷康秀様に騙《だま》されてこの森に連れてこられた娘ひとり、可哀相《かわいそう》なことをした。若い娘の生き胆を抜くなど許されぬ」

と総兵衛の傍らに控えた後見の信一郎が宣告した。

「死の前にそなたの名を聞いておこうか」

六義園の入らずの森で柳沢吉保との約定を護《まも》り、四代を重ねてきた陰陽師に問うた。

「賀茂火睡」

「そなたが闇祈禱の主宰者か。今一人、風水師がおるはず」

と信一郎が見張所に配された四番番頭重吉らの探索の成果を口にした。

「調べがついておるというか。いかにも李黒《りこく》師とこの賀茂家が代々柳沢吉保様の願いを護りぬいてきた」

「李黒はいずこか」

林梅香老師の卜《ぼく》にも李黒の影はなかった。この森を抜けて、どこぞに忍び出たか。

「そなたらも抜かったな」

「どうやら読めた」

と総兵衛が応じた。

「李黒は本郷家に招かれておるか」

「さあてどうかな」

と答える賀茂火睡の言葉に迷いが見てとれた。

「賀茂火睡、柳沢吉保の妄執《もうしゅう》、百年の呪いは今宵で終りじゃ」

「綱吉様の身《み》罷《まか》られた宝永六年より九十三年余の闇祈禱、百年の呪いにあと七年と迫ったものを、今宵《こよい》で絶えさせはせぬ」

賀茂火睡が、

「者ども、鳶沢一族、一人としてこの森から出すでない」

と叫び、三保が懐《ふところ》から両刃の短刀を抜くと杭の傍らに転がるもう一人の娘の喉《のど》にあて、

「まずはこの娘が血祭りになる」

と宣告した。

「三保とやら、そなたらも闇に生きる者なれば悪あがきはせぬものよ」

と総兵衛が言い放った。

「われら、賀茂様と李黒師の下で血を啜《すす》り合うて命と運をつないできたものぞ。この娘の血がわれらを生かしてくれるわ！」

と叫んだ三俣は闇から弦を放たれた短矢の音を耳にした。

その瞬間、三俣は虚空《こくう》に飛び上がろうとしたが、弩《ど》から放たれた短矢は三俣の想像を超えた速度で額に突き立ち、四本の杭の間の地面に串刺《くしざ》しにした。

「ひえっ」

と娘が悲鳴を上げて立ち上がろうとした。

「娘御、命が助かりたくばその場に伏せておれ！」

信一郎の言葉に娘が頷《うなず》くと顔を地面に伏せた。

「三俣の仇《かたき》をとれ、殺せ。一人も生きて入らずの森から出すでない！」

賀茂陰陽師の命に片膝《かたひざ》をついて待機していた白衣の十六人が虚空に飛んだ。

闇祈禱の場を囲んだ鳶沢一族二之組の弩のうち、五張の短矢が弦を放れて、虚空にある白衣の五人の胸を貫き、地に落下させた。

虚空にある十一人の直剣が煌《きら》めき、強盗提灯《がんどうぢょうちん》や篝火《かがりび》を掲げる者たちに襲いかかった。だが、鳶沢一族はそれに倍する軍勢で応戦した。

賀茂火睡が闇四神《やみしじん》の司《つかさど》る富沢町に飛び込むと大黒屋の店の傍らに立ち、黒御幣を、

ばさりばさり

と振って裏玄武、裏青龍、裏朱雀、裏白虎が目に見えぬ防御壁の護りを固めようとした。柳沢吉保の遺言で自らの骸《むくろ》から心臓を抜き出し、四つに分けて闇四神にそれぞれ埋めていた。つまりはこの地は柳沢吉保の願望が念じられた墓所でもあったのだ。九十数年の闇祈禱の呪いがかかった「富沢町」への結界を超えようとするだれしもに死の罠《わな》が待っていた。

「賀茂火睡、十代目総兵衛勝臣にそのような闇行は通ぜぬ」

総兵衛は懐からイギリス人貴族の持ち物であった決闘用拳銃《けんじゅう》を出すと賀茂陰陽師の額をぴたりと狙《ねら》った。

賀茂が黒御幣を総兵衛に突きつけたが、総兵衛の体にはなんの異変も起こらなかった。

「そなた、もしや異人か」

「ふっふっふ」

若い総兵衛が含み笑いをし、

「死にいくそなたに聞かせておこうか。この十代目総兵衛勝臣、柳沢吉保と暗闘を繰り返してこられた六代目総兵衛勝頼様が交趾ツロンに残された血筋よ。六代目とそれがしの曾祖母《そうそぼ》ソヒとの間に生まれた理総《としふさ》がそれがしの祖父」

「大黒屋は異人の血を入れたというか」

「いかにもさよう」

「鳶沢一族は血で繋《つな》がった武人ではないのか」

「賀茂陰陽師、鳶沢一族はいかにも武人、じゃがもう一つの表の顔は古着問屋の大黒屋、商人の家系、そのこと承知であろうが。商人なれば利に合わせて計算もなす」

「鳶沢の血を捨て、十代目を誕生させたというか」

「九代目総兵衛様は遺言なされた。血に非《あら》ずとな、血に拘《こだわ》っては一族の立ち行かぬときもくる」

若い総兵衛勝臣の後見、鳶沢信一郎が言い放ち、

「じゃが、われら鳶沢一族、九代目の遺言を順守しつつ六代目の血筋をお立て

申した。六代目総兵衛様と柳沢吉保の暗闘、六代目の直系たる血筋様が今宵終わらせる」

信一郎の言葉が消えない間に総兵衛の手の決闘用拳銃の八角形の銃身から銃弾が飛び出し、陰陽師賀茂火睡の額に止まるように吸い込まれると、

ぽつん

と穴を開けた。

賀茂火睡陰陽師がぽかんとした顔で「富沢町」の上に立っていたが、手から黒御幣が落ち、ゆらりゆらりと体を揺らしたあと、尻餅《しりもち》をつくように「富沢町」の屋根の上に崩れ落ちた。

林老師が狼の脂肪から搾《と》られた脂《あぶら》と尻尾《しっぽ》が灯心の灯《あか》りを消した。代わりに鳶沢一族が用意していた篝火が入らずの森を照らしだした。

その間にも森のあちらこちらで鳶沢一族の戦士たちが六義園に籠《こも》ってきた闇《やみ》祈《き》禱《とう》の警護衆を一人またひとりと斃《たお》していった。

百年の呪《のろ》いをかけられた理不尽に鳶沢一族の面々は憤激していたし、この九十三年余に闇祈禱のために命を縮めた一族の恨みが籠っていた。ために戦いは

最初から鳶沢一族の攻勢に始まり、攻勢のうちに戦いを終えた。

「闇祈禱の一統の棲《す》み家《か》にだれも残っておらぬか、探せ」

という信一郎の命に、一旦《いったん》矛を収めた鳶沢一族が六義園入らずの森の隅から隅まで探し回った。

縮尺された「富沢町」の結界の外から林梅香老師が闇四神を取り除き、九十三年余にわたり鳶沢一族にかけられてきた闇祈禱の呪いを消す行を始めていた。

玄武、青龍、朱雀、そして白虎の位置に塩と酒が撒《ま》かれ、浄《きよ》められた。

林老師の行が続けられていくと呪いが掛けられた富沢町の家並みが段々と土に戻って行き、消滅していった。そして、最後に賀茂火睡の亡骸《なきがら》だけが空き地の真ん中に転がっていた。

「富沢町」に仕掛けられた死の罠は林梅香老師の行で消滅した。

「参次郎、娘と賀茂を始め、十八体の亡骸を六義園の外に運び出し、供養《くよう》をしてやれ」

と信一郎が二番番頭に命じ、

「畏《かしこ》まって候《そうろう》」

と応じた参次郎らが亡骸を小舟に載せて大池を経て六義園東側の塀の下に流れる水路を伝い、植秀の納屋《なや》へと運び出した。

今やまっさらな空き地に戻った「入らずの森」に笑い声とも泣き声ともつかぬ悲鳴が上がった。一人生き残った小姓姿の娘の興奮した声だった。

総兵衛が歩み寄ると娘はいやいやをするように後ずさりした。

「安心するがよい、もはや怖い思いをすることはないぞ」

と優しく言いかける総兵衛を恐怖の顔で娘は見た。

篝火に浮かんだ娘は十三、四歳か。整った顔立ちだった。だが、眼が泳いで視点が定まらなかった。

「可哀相にのう」

総兵衛は視点が定まらぬ小姓姿の娘の一人を見ながら、衆道趣味の本郷康秀でなければできぬ残酷な貢物《みつぎもの》と考えていた。

「後見、この娘、深浦に送ってしばらく治療をさせてみぬか」

信一郎は影様、本郷康秀との戦いの切り札に使う気かと考えた。

「わが一族にはかような過酷な目に遭《お》うた娘らを癒《いや》す女衆《おなごし》がおるでな、気長に治療して正気に戻したい」

との総兵衛の返答に信一郎は、娘を影様の戦いに利用しようと考えた己を恥じた。

「承知しました、すぐにも深浦に送ります」

小姓姿の娘がその場から消えて、朝の到来を告げる深い闇が一瞬、六義園を包んだ。

「総兵衛様、闇祈禱はかりに封印致しました。されど百年の呪い、すでに九十三年余にわたり闇祈禱が夜な夜な繰り返されてきたのです。そう簡単に消えるものではありません。それがし、本日よりこの地において闇祈禱を完全に拭《ぬぐ》い去る百日行を行いたいと存じます」

と林梅香老師が総兵衛に申しでた。

「願おう」

と総兵衛が返事し、信一郎が、

「風水師李黒が戻ってきましょう。林老師の傍らに植秀の見張所にいた面々を残しておきたいと思いますが、このこといかに」

と一番番頭の信一郎が総兵衛に問うた。

「よかろう」

東の空に微光が走り、享和三年の正月が訪れようとしていた。

「引き上げの刻限じゃぞ。あとは頼んだ」

と総兵衛が林梅香老師に言い、入らずの森から千川上水の流れ伝いに六義園の外へと鳶沢一族は忍び出た。

第三章　初荷商い

一

享和《きょうわ》三年（一八〇三）の正月元旦、総兵衛は大黒屋の内風呂《うちぶろ》に身を浸していた。

格子《こうし》窓から新春の光が差し込んできて檜《ひのき》の壁にあたって屈折し、それが湯船の湯を煌《きら》めかせていた。

交趾《こうち》ではこのような贅沢《ぜいたく》は許されなかった。いや、習慣がなかった。水は豊かにあったが、熱帯に位置する交趾では湯につかる習慣がなかった。大半の女たちは井戸端や川辺で体や髪を洗い、ついでに洗濯をなす。そんな水浴が習わしだ。また、男たちは熱帯特有の驟雨《しゅうう》に身をうたれ、衣服から体まで洗って終りだ。

先祖が今坂一族のグェン家でも召使が寝室まで運んでくる水差しの水を桶《おけ》に移して顔を洗い、髪を整える。その程度でなんの不自由も感じなかった。

総兵衛にお婆様《ばあさま》は、

「そなたの先祖の国では町のどこにも湯屋があるそうな」

「お婆様、湯屋とはなにかな」

「かの国ではこの交趾より寒暖の差があるそうでな、寒い時には大きな湯船に身をつけて体を温め、熱い季節には汗を流す。そんな商いをなす湯屋なるものがあると聞いた」

と話してくれた。

総兵衛は富沢町での三七二十一日の瞑想《めいそう》を地下城で終えたあと、おりんに湯殿に案内されて、裸身になって五体を清められたときの衝撃は忘れることはない。

驚きのあと、温《ぬる》めの湯に身を浸したときの開放感は交趾の暮らしになかった快楽だった。

富沢町での暮らしは、すべてが初めて経験するものばかりだった。だが、大黒屋の食には今坂家がかの地で護《まも》りぬいてきたものもあり、味付けにさほど戸惑うことはなかった。

だが、湯に浸《つ》かる習慣は格別で、たちまち総兵衛を虜《とりこ》にした。

信一郎らの好みの湯温は総兵衛にはいささか熱かった。

そのことをたちまち知ったおりんが総兵衛の好みの湯加減に整えてくれる。

そんな湯に身を浸すとき、総兵衛は、

（わが体内には和人の血が流れておる）

と改めて思ったものだ。

この朝、鳶沢《とびさわ》一族は朝日ののぼる寸前に富沢町大黒屋の船隠しに全員が戻りついた。すると店を護っていた光蔵とおりんが出迎え、

「総兵衛勝臣《かつおみ》様の初陣《ういじん》、勝ち戦《いくさ》にござりましたそうな。祝着至極《しゅうちゃくしごく》にございます」

「ご一族に怪我《けが》はございませぬか」

と勝ち戦を寿《ことほ》ぎ、一族の者の身を案じたものだ。

「光蔵、おりん、こたびの戦は柳沢吉保が六代目総兵衛様に仕掛けた企《たくら》みの後始末、造作もなきことであったわ」

鳶沢一族の若い総帥《そうすい》がこともなげに言い放ったものだ。

「総兵衛様、戦の刻限と思える八つ半(午前三時頃)過ぎ、この大黒屋からすうっとなにか憑《つ》き物が消え去ったようでございまして、私めばかりかおりんも他の者たちも身も心も軽やかになったと感じたのでございますよ。柳沢吉保の百年の呪《のろ》いの闇祈禱《やみきとう》最後の力が失せたせいでございましょうな」

「光蔵、われら一同も帰り船でかようにも爽快《そうかい》な気持ちになったことはないと言い合ってきた」

「まずは十代目の初手柄にございましょう」

「光蔵、そうとばかりは言えぬ。懸念《けねん》も残った」

「懸念と申されますと」

「六義園入らずの森で闇祈禱を行ってきたのは陰陽師《おんみょうじ》賀茂《かも》一族と風水師李黒《りこく》という唐人じゃそうな。われら、賀茂火睡《かすい》なる陰陽師は討ち果たしたが、李黒風水師は入らずの森におらなんだ」

「それはまたどうしたことで」

「どうやら過日入らずの森を訪ねられた家斉《いえなり》様御側衆《おそばしゅう》の本郷康秀様の屋敷に招かれたと推測される、ために李黒を討ち漏らした。憂《うれ》いは残っておる、凱旋《がいせん》とは言い切れまい」

と総兵衛が答え、

「柳沢吉保様の百年の呪いを破却したと思うたら、こんどは影様本郷康秀様が新たに何事か企《たくら》んでおられますか。われら鳶沢一族の戦いに果てはございませぬな」

と光蔵が呻《うめ》いた。

「それが鳶沢一族の宿命であろうが。敵を見定めることができたなれば、戦いの仕方も工夫がつく」

「総兵衛様、頭領には休息も必要にございます。湯が沸いております」

とおりんが総兵衛と光蔵の会話に入り込んでいった。

「本日は新玉《あらたま》の年明け、正月元旦であったな」

と総兵衛もおりんに視線を向けた。

「総兵衛勝臣様が江戸で迎える初めての正月にございます」

「一族に格別な行事があるか」

と総兵衛が光蔵に聞いた。

「ございますとも」

と光蔵が長々と説明を始めようとしたとき、おりんが、

「大番頭さん、まずは総兵衛様を始め、出陣のご一統が身をお浄《きよ》めになるのが先にございます」

と言い切った。

総兵衛は地下城で戦衣を脱ぎ、大黒屋の主《あるじ》に身を変えて湯船に案内されてきたところだった。

総兵衛は両手に湯を掬《すく》った。

湯に老人の顔が映じた。

(柳沢吉保か)

と総兵衛が考えたとき、湯に浮かぶ顔が言った。

(吉保が邪心、取り除いたはめでたきことよな)

(どなた様にございますな)

(久能山《くのうざん》で話しかけたが通じなんだわ)

と湯の中のふくよかな顔が言った。

(徳川家康様にございますな)

総兵衛は久能山の霊廟《れいびょう》に独り上がり、挨拶《あいさつ》をなしたがその折家康が話しかけたことに気付かなかった。おそらくグェン・ヴァン・キの心身では家康の話しかけが伝わらなかったのであろう、と総兵衛は思った。

(十代目鳶沢一族の総帥に異国の血が混じっておるとはのう。家康が企みどおりには世の中参らぬわ)

ふっふっふ
と笑った総兵衛が、

(六代目総兵衛様の後始末が私の初御用にございます)

(それもまたよし)

(それがしが鳶沢一族の総帥で不都合がございますか)

(不都合があるもなしもそなたが決めることよ)

(それがしの考えのままに一族を導いてようございますな)

(どのような危難が襲うてこようとも一族の長に求められるものは的確なる決断と果敢な実行しかないわ)

(相分かりましてございます。鳶沢総兵衛勝臣、この身を武と商に捧《ささ》げます)

(初代鳶沢成元《なるもと》と家康がなした約定、今も生きておる。その使命、忘れるでない、総兵衛勝臣)

(畏《かしこ》まって候《そうろう》)

掌《てのひら》の湯に浮かぶ顔が消えた。

総兵衛はしばし両手の湯を眺めていたが、静かに湯船へと戻した。いつもの湯殿に戻った。

脱衣場に人の気配がした。

「総兵衛様、どなたとお話しにございますな」

「光蔵、そなた、空耳が聞こえるようになったか。湯船には私しかおらぬ、話しようもないわ」

「おや、光蔵の空耳でしたか」

「湯に入りに参ったか」

「滅相もない」

「大勢で湯に入るのはこの地の習わしであろうが」

「湯屋にございますか。それとも湯治のことでございますか」

「総兵衛、未《いま》だ湯屋も湯治なるものも知らぬ」

「江戸で湯治は難しゅうございますが、町内の湯屋なれば明日にもご案内申します」

と応じた光蔵が、

「大黒屋の正月元日は朝の間はなんの行事もございません」

と言った。

「例年、大晦日《おおみそか》は江戸の商家なれば四つ（午後十時頃）過ぎ、九つ（午前零時頃）過ぎまで掛取りに回る習慣にございましてな、ために床に就くのがどこも夜明け前にございます。そこで正月元日は休みにございまして、二日が商い始め。どこも初荷、初売りと称する新春を寿ぎ、日頃のお客様に感謝する商いを始めます」

「大黒屋も初荷、初売りをなすか」

「うちは問屋ゆえ初売りはしませんが、日頃ご愛顧の小売り店やら三井越後屋様に船やら大八車で初荷を運び込みます。まあ、これは今年一年の景気づけの祝儀《しゅうぎ》にございますよ」

と光蔵が言った。

「それが明日のことじゃな」

「はい」

と応じた光蔵が、

「総兵衛様、今年の正月はいささか商いの模様が変わりましょうぞ」

「ほう、それはまたどうしたことか」

「幕府では長崎にて落札した異国の品々を大坂、京都、堺、長崎、江戸の五か所の商人に託すことを暮れに決めましたそうな。長崎口の交易品が五つの町に大量に流れ込みます」

総兵衛からすぐに返答は戻ってこなかった。長い沈黙のあと、

「大番頭さん、その五か所の商人にうちは関わりがあるのか、それともどこにも知り合いの商人はおらぬのか」

「大黒屋は古着商い、表だって関わりがございません。ですが、長崎の唐津屋、京都のじゅらく屋、江戸室町の南蛮屋とは昔から深い関わりがございまして、異国の交易品を長年卸してきました」

むろん長崎口から入った品ではない、大黒丸などで直《じか》に仕入れてきた交易品を卸してきたのだ。

「大黒屋にとって絶好の機会ではないか」

「そう思われますか」

「大黒屋がこれまで大黒丸で運んできた交易品の数々をこの機に放出なされ」

「琉球口と称して幕府の商いに便乗せよと申されますか。そのほうが確かに目立ちませんな」

「戦も商いも機会を失してはなるまい」

「いかにもさようにございます。即刻仕度をさせまする」

「大番頭さん、イマサカ号が船倉に積んできた品々もこの機会に江戸市場に流そうぞ」

「一つの決断にございますな。ただしいくら珍品貴貨とはもうせ、同じような品が大量に流れては値が下がります。その辺の流れを見極める要がございますな」

「大番頭さん、正月明けに深浦に同道してくれぬか。イマサカ号の品を改めて詳しく見ておいてもらいたい」

「承知いたしました」

と受けた光蔵が、

「総兵衛様、湯を上がられたあと、しばし仮眠をなされて下され。元日に大黒屋の行事はございませぬが、鳶沢一族の一同が地下城に会して一年の息災を先祖に願う儀式がございます。そのおり、われら鳶沢一族主従の固めの儀を執り行います」

「毎年の儀式か」

「主従固めの儀は、鳶沢一族の主が就位なされた最初の正月の格別な行事にございます」

再び総兵衛が沈黙した。

「なんぞ懸念がございますか」

「主従固めの儀に深浦の今坂一族の者どもを何人か同席させたかったと思うただけだ」

総兵衛勝臣の声に憂《うれ》いがあった。

「総兵衛様、弟御勝幸様、妹御おふく様、グェン・ヴァン・チから千恵蔵に改名した航海方どのら八名を、池城《いけぐすく》一族の金武《きん》陣七、幸地達高らがお連れして本日の昼過ぎまでには富沢町に到着なされます」

「なにっ、そのような手配がすでになされておるか」

「総兵衛様のご懸念は鳶沢一族と今坂一族の融合にございましょう。百年も前、鳶沢一族が交易を通じて池城一族と深い信頼を勝ち取り、今もその関わりは続いておりますぞ」

「さすがに大番頭どの、ぬかりはないな」

「大黒屋の大番頭の務めにございましてな、なんのことがございましょうか」

「礼をいうまでもないか」

「いかにもさようです」

光蔵の気配が脱衣場から消えて、総兵衛は湯から上がった。

そのとき、富沢町を元気づける商いを思い付いた。


元日の昼下がり、富沢町の古着問屋大黒屋の船着場に琉球型小型帆船が到着して、光蔵らに迎えられ大戸が閉じられた店に入っていった。

四半刻《しはんとき》(三十分)後、鳶沢一族の本丸というべき地下の板の間に海老茶《えびちゃ》の戦衣を身に纏《まと》った鳶沢一族、池城一族、そして新たに鳶沢一族に参画した今坂一族が加わり、百数十人が一堂に会した。

神棚のある高床には鳶沢一族の初代総兵衛成元、六代目総兵衛勝頼《かつより》の坐像《ざぞう》と各代の総兵衛の位牌《いはい》が並び、三方に鳶沢一族が影旗本を務める証の三池典太光世《みいけでんたみつよ》一振り、その隣に今坂一族の総帥《そうすい》を表す宝飾剣、そして、海人池城一族の象徴の櫂《かい》が備えられて三つの一族の、

「融合と調和」

をその場にあるものに教えていた。

神棚には武人鳶沢一族の心意気たる武神の誉田別命《ほんだわけのみこと》(応神天皇)への帰命《きみょう》を表す、

「南無《なむ》八幡大菩薩《はちまんだいぼさつ》」

の大文字が躍っていた。

「鳶沢総兵衛勝臣様、御出座!」

という信一郎の声が響いて、臙脂《えんじ》色《いろ》の布衣《ほい》の総兵衛が姿を見せた。その腰には脇差来国長《わきざしらいくになが》だけがあった。

一同が平伏した。

「総兵衛勝臣様、享和三年の新年めでとうございます」

と光蔵が新年の賀詞を述べると一同が和した。

「新玉の年、無事に迎えられてめでたいのう」

と総兵衛が応じて、

「主従固めの儀にございます」

とおりんと鳶沢一族の女衆《おなごし》が杯《さかずき》を鳶沢一族の男衆全員に配り、酒を注いで回った。全員に行き渡ったのを確かめたおりんが、

「おふく様、これへ」

と呼んで銚子《ちょうし》を手渡し、総兵衛の杯に酒を満たさせた。

「おふく、元気にしておるな」

「はーい」

と訛《なま》りがあるものの和語で返答をした幼い妹に、

「よう出来た」

と総兵衛が褒めた。

「鳶沢総兵衛成元様が神君家康公と出会われ古着問屋の鑑札を授けられたのが慶長八年（一六〇三）のこと、享和三年の新年を迎え、ちょうど二百年の歳月が過ぎた。また家康様の死の床で武と商に生きるように、隠れ旗本としての使命を仰せつかってより数えても百八十七年の長き歳月を経た。この間に鳶沢一族は使命を全《まっと》うするために数多《あまた》たび戦場に出て、奮戦し、数多くの一族戦士が斃《たお》れられた。これら先人の血の犠牲により、われらこうして生を全うしておる。そのことをどれだけ感謝しても十分ということはあるまい」

ところまで朗々とした若い声が告げ、しばし言葉を切った。

「昨秋、九代目総兵衛勝典《かつのり》様が病に倒れ、享年《きょうねん》三十六にして死を迎えられたこと、改めてそなたらに説明することもあるまい。また縁《えにし》あって私が十代目総兵衛勝臣として鳶沢一族の総帥に就いたことも言葉を重ねることもあるまい。この総兵衛勝臣の使命は一《いっ》に鳶沢一族の下、池城一族と今坂一族を融合し、調和をもって一つの旗の下に最大の力を発揮できるように努めることじゃ。鳶沢一族が戦いのたびに強固な絆《きずな》を結んできたように、ただ今われらの前に新たな戦いの予兆がある、敵対する者の意図は未だ定かに見えず。よいか、一族の一人ひとりが神経を尖《とが》らせ、集中心をもって武と商の使命にあたれ。相分かったな」

「分かり申した！」

総帥が新たなる危機を告げたことで一族全員の気持ちが一つになり、怒号のような声が地下城に響いた。

「新しい鳶沢一族の門出に乾杯！」

一同が手にした杯の酒を飲みほして新たなる年に誓った。

二

大黒屋では主《あるじ》総兵衛から奉公人ら総出で祝い歌で寿《ことほ》ぎながら初荷の船を送り出し、大八車の荷の上に、

「江戸富沢町古着問屋大黒屋初荷」

の幟《のぼり》を閃《ひらめ》かせて江戸の得意先へと散っていくのを最後まで見送った。

だれしもが享和三年の正月の初商いをさわやかな気持ちで迎えていた。大黒屋にとって久し振りに華やいだ正月で晴やかな気持ちだった。

総兵衛は入堀を行き交う初荷船に目をとめて、遠い故郷の交趾ツロンを追憶した。ツロンは海港の上に水路が発達し、江戸の町並みとどことなく似通っていた。

だが、もはや遠い異郷の交易都市は総兵衛にとって過去のものだった。

憂いを湛《たた》えた総兵衛の視線が一片の雲もない青空を見た。子供たちが上げる凧《たこ》がいくつも緩やかに舞う風に乗って大きく右に左に揺れながら飛んでいた。

総兵衛の顔に穏やかな笑みが浮かんだ。その脳裏に富沢町で仕掛ける、

「古着大市」の構想があった。

「おまえさん、大黒屋の主を見てごらんよ。なんとも様子のいいこと、惚《ほ》れ惚《ぼ》れするよ」

「おうさ、男のおれが見てもぞくりとする伊達《だて》ぶりだ。それにしても十代目の総兵衛は大黒屋の在所の駿府で育ったというが、どこをとっても下肥《しもごえ》の臭《にお》いがしないのはどういうわけかねえ」

入堀を挟んで対岸の元矢之倉の河岸《かし》道から年始参りにいく体《てい》の夫婦が足を止めて、羽織袴《はかま》の総兵衛をみて言い合った。裏長屋住まいの職人の棟梁《とうりょう》夫婦か。

「噂《うわさ》によるとこんどの総兵衛様には異人の血が混じっているそうよ」

と女房が声を潜めた。

「おめえ、滅多なことをいうもんじゃねえ」

「だって噂だもの、長屋の連中の口に戸は立てられないよ」

「おれも普請場《ふしんば》で聞いた。だがな、それが真《ほんと》であれどうであれ、大黒屋の大番頭さん始め一族がうち揃《そろ》って十代目に決められたことだ。これで富沢町に賑《にぎ》わいが取り戻せるならそんなことはどうでもいいや」

「独り者だというよ、うちのかんなはどうかねえ」

「どうかってどういうことだ」

「総兵衛様の嫁だよ。母親がいうのもなんだが、おまえさんと私の娘にしては鳶が鷹《たか》を生んだ口だよ、見目麗《うるわ》しいじゃないか」

「馬鹿《ばか》野郎、かんなは七つだ。七つの娘を嫁にやる気か」

と勝手なことを言い合っていた。

入堀のこちら側では、噂になっているとも知らぬげの総兵衛を始め、大番頭の光蔵、一番番頭の信一郎、おりんら大黒屋の主だった者たちが羽織袴や中振り袖《そで》姿で初荷を送り出し、富沢町を往来する人々に、

「明けましておめでとうございます。本年もどうか富沢町を、大黒屋をご贔屓《ひいき》に願います」

とか、

「正月二日吉例の大黒屋鏡割りが町内の鳶の手で始まります、どうか新春の祝

い酒を召し上がっていって下さい」

とか声をかけた。そして、総兵衛自ら柄杓《ひしゃく》で四斗樽《よんとだる》の酒を一合枡《ます》に注ぎ、おりんら大黒屋の女衆が次々に手渡していく。すると、うちの一人が、

「おう、大黒屋さん、ご馳走《ち》になるぜ。去年はあれこれありましたがな、若い十代目が誕生して富沢町がなんだか一新されたようで明るうございますよ。今年こそ富沢町に、いえ大黒屋さんにもよいことがございますって。はいはい、おりんさんの手ずからの祝い酒頂戴《ちょうだい》致しましょうかな」

「あら、房吉さん、お口が上手なこと」

「おりんさんよ、担《かつ》ぎ商いの房吉、未《ま》だ嘘《うそ》と坊主《ぼうず》の髪はゆうたことがねえや。本心ですよ、本心ついでにさ、おりんさんに今年はよい男が現れそうだと辻占《つじうら》が出ているぜ」

「うれしいけど、私のことより十代目総兵衛様のお相手を房吉さん、探してくださいな」

と十三で富沢町に奉公に出て、その日から美貌《びぼう》と才気が評判を呼んで、

「富沢町小町」

と呼ばれてきたおりんが担ぎ商いの房吉に願った。

「おりんさん、惣代《そうだい》はほれぼれする男ぶり伊達ぶりだ。それに背丈はすらりと高く容貌《ようぼう》に一点の曇りなく非もなし。お人柄は噂に伝えられる六代目の才気と度量と勇気を彷彿《ほうふつ》させるって評判だ。私らが節介を焼かなくたって、女衆が放っておかないよ。だがな、おりんさん、下手げな女に触《むし》らせちゃあならないよ。そのうち十代目に相応《ふさわ》しい女子衆が必ずや現れますからさ」

と代々大黒屋で古着を仕入れる古手の担ぎ商いの房吉父《とっ》つぁんがおりんに言ったものだ。

「房吉さんの占いです、信じてます」

「おう、おりんさん、おめえさんの亭主も総兵衛様の嫁も遠からず現れるって、このおれのご託宣、信じて間違いなしだ」

と房吉が胸を張って、おりんから枡酒を受け取った。

この正月二日、大黒屋では富沢町を行きかう男衆には手拭《てぬぐ》い、女衆に縮緬《ちりめん》の手絡《てがら》を配った。むろん手拭いも手絡も古物ではない。真新しい品の上に熨斗《のし》がかかったものだった。

四斗樽の酒がなんと一刻（二時間）足らずですべてなくなり、

「皆々様、今年も宜《よろ》しゅう願います」

「ご贔屓に願います」

と散り行く背に願った。

「総兵衛様、光蔵が富沢町に上がったのが宝暦十年（一七六〇）、四十三年も前になりますが、今年の正月ほどの富沢町の活気と晴れやかさを見たことがございませんよ。それもこれも十代目の決断があればこそ」

徳川家康が征夷大将軍に任じられ江戸幕府が成立したのは慶長八年（一六〇三）のことで、今年は幕府開闢《かいびゃく》からちょうど二百年を迎える節目の年だった。

鎖国政策に無理が生じて外圧が掛かり始めた日本だったが、歌舞伎、能狂言、俳諧《はいかい》、祭礼、流行《はや》り物の衣服、化粧に音曲と江戸文化の爛熟《らんじゅく》期、頂点を迎えようとしていた。

その象徴がこのところの贅沢《ぜいたく》の波が食に押し寄せ、その期待に応《こた》えるかたちで八百屋善四郎が江戸浅草山谷に開いた高級料亭の『八百善』であり、千客万来の繁盛ぶりだった。その八百善流行を煽《あお》ったのが、初がつお一本に二両二分も払う初物志向で上客の心をくすぐるような善四郎の巧妙な宣伝だった。

そんな時代の中、ここのところ古着屋が連なる富沢町の元気がなかった。それが十代目総兵衛の誕生で一変した。

「大番頭さん、世辞にもうれしい言葉です」

と総兵衛が答えるのに、

「大黒屋の大番頭、房吉さんの言葉ではありませんが、嘘と坊主の髪は未だゆうたことがございません」

と光蔵が胸を張り、

「でございましょう、おりんさん」

と振り袖姿のおりんに矛先を向けたものだ。

「大番頭さんの口車にはしばしば乗せられるおりんですが、このことばかりは真《まこと》のことにございます。大黒屋の奉公人がいうのもなんですが、富沢町は大黒屋の元気がないと町全体に活気が生まれません。九代目が病の折は富沢町全体に淀《よど》んだ空気がどんよりと漂っておりました。それが今年の正月は一片の雲もない日本晴れの上々天気、おりんの胸の中の閊《つか》えもすっかりと消えてなくなりました」

とおりんが答えるところに入堀に帆柱を倒した琉球型の早船が音もなく姿を見せて、栄橋の下で見事に方向を転じて艫《とも》から船着場に着けた。

船頭は大黒丸の助船頭にして舵方《かじかた》の幸地達高で池城一族の三人が水夫《かこ》として乗り込んでいた。

「宝船が着きましたよ。総兵衛様、富岡八幡宮詣《とみおかはちまんぐうもう》でに参りましょうかな」

と光蔵が大声を張り上げて富沢町に行きかう人々に聞かせ、

「ささっ、総兵衛様、まずはお乗り下され。おりんさんも後見も総兵衛様に続いて乗ったり乗ったり」

と賑やかに言って自らは最後に、船着場できちんと草履を脱いで船に乗り込んだ。留守の頭分は二番番頭の参次郎だ。

「二番番頭さん、留守を宜しゅうな」

と一番番頭の信一郎が願い、琉球型小型帆船が四丁の櫂《かい》を揃えて大川へと下っていった。

その様子を富沢町から少し大川の合流部へと下った駕籠屋《かごや》新道の出口から巻羽織に着流しの役人と着流しの男たち三人連れが見ていた。

「大黒屋、なんぞ企《たくら》んでやがるぜ」

南町奉行所無役同心沢村伝兵衛は、一応市中取締諸色掛に配属されていたが、市中の商品の価格などを取り締まる八人の与力のだれにも所属せず、南町奉行根岸肥前守鎮衛《やすもり》直属と称して勝手に活動していた。だが、南町のだれもが沢村伝兵衛の出自を知らなかった。

町奉行所の一同心の振舞いにしては常識を超えていたが、南町の与力同心は、

「沢村伝兵衛のことはお奉行も見て見ぬふりをされておるそうな。どうやら御城の上のほうから南町にねじ込まれた探索方。われらも沢村の言動をあれこれあげつらうと、とんだとばっちりが降りかかる」

「いかにもさよう、触らぬ神に祟《たた》りなしにございますぞ」

と沢村伝兵衛に関わりを持たぬようにしていた。

「沢村様、あの奇妙な船を追いかけますな」

「まあ、あやつらがなにをなすか見てこい」

と沢村に命じられた三人の着流しの男たちが難波町《なにわちょう》河岸に待機させていた猪《ちょ》牙舟《きぶね》に走った。

この沢村が師走《しわす》のある日、ふらり牢《ろう》屋敷を訪ね、囚人調べ書きを読み、あたりをつけた三人の出牢を牢屋奉行石出帯刀《いしでたてわき》に、

「お奉行、この者たちを牢の外に放逐して下され」

と平然と願ったものだ。

囚獄は代々石出帯刀と名乗り、姓名と職を世襲してきた。

「高三百石 囚獄石出帯刀
拝領屋敷 小伝馬町《こでんまちょう》一丁目北側不残」

と身分職階を伝える。

幕府が誕生した時期は、重要な役職であったが享和期には武鑑の役職中で末尾に記されるほど疎《うと》んじられる役目であった。

沢村は当代の石出帯刀の下で牢屋同心を務めてきた。それが町奉行所に転属するにつけてはそれなりの事情があってのことと容易に察せられたが、石出帯刀も沢村伝兵衛本人も何も聞かされてはいなかった。

石出帯刀は今から八か月も前、根岸鎮衛に南町奉行所の御用部屋に呼び出され、

「石出どの、そこもとの支配下に沢村伝兵衛と申す同心がおるそうな」

と問われた。

町奉行と牢屋奉行ではおなじ奉行とはいえ、幕府の職階で天と地ほどの身分差があった。町奉行と対面するなど元々ありえない。それが町奉行所に呼び出された。すでにこのこと自体が異常である。

「沢村伝兵衛、いかにもおりまする」

「その者をこの南町奉行所に引き取る」

と根岸鎮衛は淡々とした声音で命じた。

「根岸様、なんと申されましたか」

「そこもと耳が遠いか」

「それがしの耳には沢村を牢屋から南町に引き取ると命じられたように聞えましたが」

「そのとおりじゃ」

石出帯刀はしばし沈思した。かような人事は聞いたこともない。

「なんぞ不満か」

と根岸が石出帯刀に問うた。その声音にはっきりと不快の感情があった。

「いえ、不満などございましょうか。当人はこのことを聞かされますと小躍りして喜びましょうな。されど根岸様に一つだけご注意申し上げとうござる」

根岸は本来なれば対面することなどありえない牢屋奉行の申し立てにはっきりとした舌打ちをして、

「申せ」

と短く述べた。

「沢村伝兵衛、牢屋の打役《うちやく》にございます」

打役とは、叩《たた》き刑あるいは牢問い（拷問《ごうもん》）の笞《むち》打ちの役目を負う同心で、牢屋奉行には二名の打役がいた。刑罰を法の名の下で執行する役目だが、どこを叩いてもよいというものではなく、打つところが決められていた。

囚人の骨、頭、顔、腕を打たぬように肩から背にかけて一定の力で打つ、これが決まりで手練がいった。

町奉行の根岸鎮衛もそのようなことは承知していた。

「この者、これまで打役三年を務めましたが、その間に八人の囚人を責め殺しております」

「牢屋同心にあるまじき行動、そなた、注意をなしたであろうな」

「はい、致しました。されどその折は畏《かしこ》まって聞くふりをしておりますが、また半年後には同じようなことを繰り返します」

「激情に任せて叩きをなすというか」

「いえ、冷静に責め殺すのでございます」

なにっ、と根岸の顔がいよいよ険しいものと変わり、しばし考えた末に問い直した。

「その者、通常の叩き刑で済ます者もおるのじゃな」

「いかにも」

「その違いはなにか」

「囚人に殺された家族が金品を持って沢村に殺しを頼んだ例、また囚人の家族が牢屋敷内での始末を頼んだ例、どちらもそれなりの金子が沢村に渡ったと思えます」

「そなた、それを見逃したか」

「根岸様、牢屋同心打役が御用の最中、打つべきところを一度間違えたことをとがめだてしていては、だれも打役などやろうとはしますまい」

「なに、沢村は一度の外しで、囚人を殺《あや》めると申すか」

「いかにも」

「その者、武術の心得があるか」

「父親もまたその父親も牢屋同心打役にございましたが、この沢村の家系には一子相伝の一撃無楽流なる居合い術が伝わっておるそうな。なれど、だれも沢村伝兵衛の真の力を試した者はおりませぬ。そのような危険な同心を南町奉行所では引き取ると言われる」

「引き取る」

と根岸の返答ははっきりとしていた。

石出帯刀はこの瞬間、根岸の意志で沢村伝兵衛の転属が決まったのではないことを察した。

「後々、あのような者をと文句をつけられることはございませぬな」

「なかろう」

と根岸が他人事《ひとごと》のような返答をして沢村の牢屋同心から町奉行所同心への転属が決まった。

それから八か月後、久しぶりに小伝馬町の牢屋敷を訪ねてきた沢村伝兵衛は、島流しが決まっている三人の囚人、石屋の兼松《かねまつ》、薄刃の紋三郎《もんざぶろう》、迷い犬の権太《ごんた》の三人の解放を願い、石出帯刀は、

「わしが拒んでも町奉行根岸様の命が下ることになるか」

「まあそのようなことかと。お奉行、無駄なことはなさらぬことだ」

「沢村、そなたが小伝馬町から呉服橋に移って八か月が過ぎた。町奉行所の居心地はどうか」

「今のところ銭になりませぬな」

「兼松、紋三郎、権太の三人を放逐する以上、いささかの金子はかかる」

「石出様、そのうちよい目をな、味おうてもらいます」

「そのうちよりただ今の金子が大事」

沢村が小判三両を懐《ふところ》から出して石出の前に投げた。

「あやつらの命、一人一両か」

「こちらには一両にも値しない屑《くず》どもがごろごろしておりましょう。石出様、もうしばらく辛抱願いましょうか。打ち出の小槌《こづち》がどこにあるか分かりましたのでな」

「そなたの真の雇い主どのか」

「いえ、その主どのが狙《ねら》う相手にございますよ」

と応じた沢村伝兵衛が、

「三人の使い道、お任せ下され。生きているより早めに死んだほうがこの世のためになる連中にございましょうが」

と嘯《うそぶ》いたものだ。

三

大黒屋の琉球型小型帆船は、大番頭の光蔵がお店《たな》の船着場で往来の人々に大声で聞かせたとおりに深川の富岡八幡宮の石造りの船寄せに到着し、主《あるじ》の総兵

衛、光蔵、一番番頭の信一郎、そしておりんの四人が船を下りた。最後に光蔵が船頭の幸地達高に、

「ちょいとお待ち願いますよ」

と言い残し、四人は連れ立って初詣《はつもうで》に賑《にぎ》わう富岡八幡宮の鳥居を潜《くぐ》って境内へと入っていった。

その後すぐに、小伝馬町を解き放たれて沢村伝兵衛の手先になった石屋の兼松らが乗る猪牙舟が船寄せに到着した。船頭役は紋三郎で、兄貴分の兼松が猪牙舟を舫《もや》いながら、

「紋三郎、権太、ここはいちばん手柄をたてねえと、おれっちはまた小伝馬町の牢屋敷に逆戻りだ。大黒屋の主がどこに向かうかしっかりと見届けるぜ」

「兄い、しくじったら小伝馬町に返されるかねえ」

「あたぼうよ。おれっち三人で押し込み強盗を何度重ねたえ」

「だがよ、白洲《しらす》で吐いたのは三両ぽっちの盗みが二つ、殺しも押し込み先で若女房を犯したことなんぞも未《ま》だ奉行所に内緒の話だ」

「知られてみやがれ、鳥も通わぬ八丈島から獄門台にこの首が三つ並ぶ寸法だ。

だが、ツキが回ったぜ」

「ツキが回ったって」

「見たろう、権太。大黒屋の店構えをよ、沢村の旦那《だんな》もえらいところに目を付けられたもんだぜ。江戸から陸奥《むつ》一円にまで商いを広げているばかりか、大船を駆って異国にまで交易の手を伸ばしているって噂《うわさ》だ。大黒屋の蔵ん中には千両箱に小判がぎっしり、いやさ、異国の金も山積みだろうよ。沢村の旦那に気に入られるような手柄の一つもあげるこった。そうすりゃ、おれっちの道も開けてこようというもんだ」

と兄貴分の石屋の兼松が仲間二人に言い、懐に呑《の》んだ匕首《あいくち》を確かめ、

「行くぜ」

と船寄せの石段に飛んだ。

富岡八幡宮は船でお参りができる神社として江戸に知られ、ために豪商や分限者《ぶげんしゃ》の年寄たちが船を仕立ててお参りにやってくる。そんな客のために富岡八幡宮と永代寺界隈《かいわい》には月見に花見に賑わう二軒茶屋を始め、川魚料理を売り物にする料理屋が櫛比《しっぴ》していた。

そんな富岡八幡宮だけに享和三年の正月二日、なかなかの人出だった。

石屋の兼松が喋《しゃべ》くって姿を消した船寄せの石段の隅に菅笠《すげがさ》を被《かぶ》った船頭が煙管《きせる》で煙草《たばこ》を吸っていたが、火皿から灰を水に落として煙管を持った手を振った。

この人物、池城一族の利《き》き耳の唐助だ。唐助は聴覚が人の何倍も優れていた。ために兼松ら三人の話は筒抜けに唐助の耳に聞こえていた。

大黒丸の助船頭の幸地達高が頷《うなず》き、琉球型小型帆船から達高と若い阿呆鳥《あほうどり》の朋親《ともちか》の二人が唐助を追った。

総兵衛ら主従四人は富岡八幡宮の本殿に上がり、格別に大黒屋の商売繁盛と一族の息災を祈願してもらい、過分の祈禱《きとう》料を信一郎が差し出して、光蔵がお札を頂戴《ちょうだい》して、本殿横から東の回廊に出た。

「お天気に恵まれ、参拝の人々がひっきりなしですよ」

とおりんが回廊の上から境内を見下ろした。

「江戸という都、どれほどの人が住んでおるのだ、おりん」

と総兵衛が驚きの声で話しかけた。

「お武家様だけで五十万とも六十万ともいわれ、町人を合わせると百万の大都と申します」

「おりん、イギリスにもフランスにも百万の人が住む都なんてありませんよ」

と話し合う総兵衛とおりんを見て、境内のお参りの人の間から、

「大黒屋の十代目じゃねえか。背丈は高いし目鼻立ちがいいや。初めて見たがいい男だね」

「主もいいがあの年増はだれだい、なかなかの美形だね。あんな女は吉原にもたんとはいめえぜ」

「熊《くま》、おめえが馴染《なじみ》の櫓下《やぐらした》なんぞにはまかり間違ってもいねえな。ありゃ、大黒屋のおりんさんよ、奉公に入ったときから富沢町小町と評判だったが、ここ六、七年で磨きがかかったねえ」

などと無責任にも噂し合っていた。

そんなこととはつゆ知らず総兵衛らは、回廊横の階段から富岡八幡宮の東側に出て、

「総兵衛様、人あたりで目がくらくらしますよ。ちょいと静かなところで気を

静めて船に戻りませぬか」

と大番頭の光蔵が願い、一同は参拝客の込み合う本殿から離れて、堀から引き込まれた水が境内に池を作るあたりまで歩いてきた。

池の中には島もあって海鳥が群れていた。

そんな四人を石屋の兼松らが遠目に見て、

「兄い、ただ付け回すというのも芸がねえぜ。沢村様への手土産にちょいといたずらなんぞをしてみねえか」

と紋三郎が言い出した。

「どうしようてんだ、紋三郎」

「牢《ろう》屋敷に半年もしゃがんでいたんだ、溜《た》まるもんが溜まっていらあ。あの年増をちょいと神輿倉《みこしぐら》なんぞに連れ込んで回そうって話だ」

「都合のいい神輿倉なんぞがあるかえ、紋三郎」

「この界隈《かいわい》の裏長屋に巣食っていたことがあらあ。おれに任せておきねえ」

「紋三郎、相手は四人だぜ」

と迷い犬の権太が言った。

「主と一番番頭に気をつけりゃ、他は爺《じじい》に女だぜ。こっちは三人よ」

「よし」

と兄貴分の石屋が懐手の右肩を下げ気味にして池の端で憩《いこ》う総兵衛らに近付き、仲間の二人が従った。

「明けましておめでとうございます、旦那方」

「へえへえ、明けましておめでとうございますな」

と光蔵がにこやかに応じた。

「えっへっへへ」

と紋三郎がおりんを上目づかいに見て笑い、

「お女中、いい香りだねえ」

と団子鼻の穴をくんくんと開け締めした。

「おまえ様方、どちら様でしたかね」

と光蔵が尋ねた。

「いえね、旦那方にちょいと拝借させてもらいたいもんがございましてね」

「おや、拝借させてもらいたいですと。私どもは商人の主従にございましてね、物をお貸しするときはそれなりの借り賃を頂戴しますよ」

「番頭さん、こちとらは小伝馬町を出てきたばかりで懐が寂しいのさ」

「なに、金子の無心ですか」

「財布ごと拝借してね、こちとらが都合のいい折に富沢町のお店にお返しに上がらせてもらいましょうかね」

と紋三郎がつい口を滑らせた。

「おやまあ、おまえさん方、私どもの身許《みもと》を承知で強請《ゆすり》たかりにございますか」

「番頭さん、口には気を付けたほうがいいね」

石屋の兼松が威嚇《いかく》した。それにしても応対する番頭ばかりか、若い主も女までもがいささかも驚いた風を見せないのはどういうことか。

兼松は懐手の右手を出した。すると抜身の匕首が初春の光に煌《きら》めいた。

「だれに頼まれなすったか知らないが、およしなさい」

と大番頭も平然としたものだ。

「兄い、こちとらの脅しが生温《なまぬる》いとよ。痛いめに遭わなきゃあ事情が呑み込めないようだぜ」

薄刃の紋三郎も懐の刃物を抜き放った。薄刃と異名があるだけに両刃の刃《やいば》は薄く研ぎ上げられていた。

「大黒屋の旦那、女泣かせの顔に傷をつけてもいいかね」

と紋三郎が薄刃を逆手に構えた。

「お三方、おまえ様方の相手は後ろに控えておりますよ」

と初めて信一郎が口を利いた。

「後ろだと」

とひょいと振り返った迷い犬の権太が、

「なんだい、てめえらは」

と驚きの声を上げた。

大黒丸の助船頭にして舵方《かじかた》の幸地達高と利き耳の唐助が腕組みして立ち、その前に阿呆鳥の朋親が奇妙な道具を手に立ちはだかっていた。一尺三寸（約四〇センチ）余の堅木が二本、三寸ほどの鉄鎖で結ばれていた。

琉球古来の武具のぬんちゃくだ。

「大黒屋総兵衛様にはおまえらのような三下の脅しなど利かぬ。怪我《けが》をせぬうちに立ち去らぬか」

と十八の朋親が言い放った。

「なんだと、若造」

薄刃の紋三郎がくるりと身を回して踏み込みざまに逆手の両刃の切っ先を朋親に突き付けた。

その瞬間、

きええいっ

という阿呆鳥の鳴き声めいた気合が響いて、朋親の手の丸棒二本が一本になり、もの凄《すご》い速度で縦横無尽に振り回されると、回転する丸棒の一本が朋親の脇《わき》に、

ぴたり

と収まって止まった。

「な、なんの真似《まね》だ」

と迷い犬の権太が喚《わめ》いた。

次の瞬間、紋三郎が背を丸めて飛び込むと、両刃の切っ先を朋親に突き掛けてきた。

小脇に動きを止めていた丸棒が、

けえぇっ

という気合とともに再び回転を始め、両刃の剣を叩《たた》き落とすと朋親の足首が紋三郎のうなじに巻き付くように蹴《け》り込まれて、紋三郎はあっけなく前のめりに倒れた。

一瞬の早業だった。

「本日は正月、挨拶《あいさつ》に留めておく」

と朋親がいい、

「許しが出たところで、この兄さんを連れていきなされ」

と光蔵が平然と言い放った。そして、この三人に利き耳の唐助の尾行がついたが、石屋の兼松らはそのことに気付かなかった。

四半刻《しはんとき》(三十分)後、琉球型小型帆船は帆柱を立て、順風を帆いっぱいに受けて江戸湾を南下していた。

「あの奇妙な武器は初めて見た」

と総兵衛が朋親に笑いかけた。

「総兵衛様、ぬんちゃくと呼ぶ道具にございます。琉球では古くから使われております」

朋親が答えて、前帯に挟んだぬんちゃくを見せた。

手にとった総兵衛が丸棒を手に振り回してみた。

朋親のように目にも止まらぬ速さで回転し、止まり、さらには一尺三寸余の二本の棒が一本になって刀の刃渡りほどの得物に変化する妙技に到達するにはよほどの修練が必要だろうと感心するばかりだ。

「総兵衛様、琉球は中国と和国の両国に属する珍しい島にございます。二つの国に貢物《みつぎもの》を贈り、存続を許されてきましたが、いつの時代からかわれら先祖が唐人や薩摩人に抵抗することを封じるために武器を所有することを禁じられました。ためにわが先祖は素手で戦う術の空手の技を生み出し、また身近な暮らしの道具に工夫を加えて、ぬんちゃくのような武器を造り上げて、抵抗の手段としてきたのです。朋親の親父《おやじ》様は、ぬんちゃくの達人にございましてな、朋親はよちよち歩きのころから、ぬんちゃくを玩具《おもちゃ》代わりにしてきましたで、親父様同様のぬんちゃく名人に育ちました」

と池城一族の幹部の幸地達高が総兵衛に説明した。

「朋親の親父様は琉球の大黒屋出店で奉公しておりますゆえ、そのうちに総兵衛様に目通しさせます」

と信一郎が言った。

「知れば知るほど鳶沢一族は不思議な一族だ。百年も前から異国との交易をなすために大船を大海原に走らせ、琉球の海人の池城一族と相協力して動いてきた」

「われらの爺様《じいさま》の代から池城一族は鳶沢一族の下で海上交易に従事してきたのです」

「そして今、われら今坂一族が鳶沢の傘下《さんか》に加わった」

「総兵衛様、その三つの一族の総帥《そうすい》が十代目総兵衛様にございますぞ」

と光蔵が言った。

首肯した総兵衛は改めて若い己の肩に負わされた使命を感じた。

「年の瀬、深浦の総兵衛館を訪ねたが、壱蔵《いちぞう》ら深浦の面々の協力でイマサカ号の修繕はほぼ終わり、大砲も砲甲板に戻されていた」

と総兵衛が話を転じた。

「われら、慌《あわ》ただしくも交趾を出てきたゆえ、十分な航海の仕度が船にもわれらにもなされてなかった。だが、深浦の船大工の手助けでイマサカ号はツロンを出たときよりも、さらに一層頑丈な精悍《せいかん》な商船に変わっていた。うれしいかぎりだ」

「総兵衛様、鳶沢一族にとっても池城一族にとってもイマサカ号は交易の規模を拡大する希望の商船にございます」

と信一郎が言った。

「船の修理がなったとなると、海に出たくてうずうずしている者がおってな、私にあれこれと言うてきた」

と総兵衛が笑った。

「いまから航海に出るにはいささか季節風の時期を失しております」

「後見、そうではない。長い航海に出る前になすべきことはイマサカ号の試走を兼ねての乗組員の訓練よ」

「結構なことにございます」

「試走の狙《ねら》いはむろん改修されたイマサカ号の航海能力を試すことだが、今一つ、新たな乗組員の育成も考えねばならぬ。ガレオン型三檣《さんしょう》帆船イマサカ号を動かすだけで少なくとも七、八十人の精力旺盛《おうせい》な力がいる、海賊船に遭遇したときの砲撃戦を思えば百二、三十人は乗せたい。今坂一族百五十余人は年寄もいれば女子供も混じっての数で、ぎりぎりの人数で操船してきたのだ。こたびの試走の眼目は今坂一族、池城一族を加えた三族の男衆《おとこし》が、とにかくイマサカ号の操船に慣れることにある」

「総兵衛様、仰《おっ》しゃる通りと存じます」

と信一郎がすぐに総兵衛の意見に賛意を示した。

「今坂一族からは副船長にして航海方の知恵蔵ら四十余人を残し、鳶沢一族と池城一族より六十人から八十人の若者を選んで乗船させたい。この儀、どうか」

「早速人選に入ります」

と信一郎が請け合った。

「また反対に大黒丸にはイマサカ号を下りた今坂一族の者を乗せて、大黒丸の操船に慣れさせよう」

と総兵衛がさらに提案した。

「それもまたよき考えかと」

と光蔵が満足げに頷《うなず》いた。

「試走はいつから始めますか」

「後見、仕度に諸々《もろもろ》あろう。海も穏やかになる仲春《ちゅうしゅん》（二月）に入ってからではどうか」

「結構にございます。一回目の試走には総兵衛様自ら乗り込まれますな」

「いかぬか」

「いえ、十代目総兵衛様は鳶沢、池城、今坂一族の融合の象徴にございますれば、ぜひイマサカ号の試走航海には自ら指揮をとって下さるよう願います」

と信一郎が願った。

「後見、イマサカ号がまず向かう先は鳶沢村でよいな」

「われらの頭領は総兵衛様にございますぞ」

信一郎の言葉に総兵衛が頷いた。すでに総兵衛の頭の中には試走航海の狙いばかりか、今年の船の交易航海の計画がなっていると信一郎は推測した。

「差し出がましゅうはございますが、総兵衛様にお願い奉《たてまつ》ります」

琉球型小型帆船の舳先《へさき》に乗って、水先案内を務める朋親がふいに言い出した。

「なんじゃ、朋親」

「この朋親、ぬんちゃくばかりか船にもなかなか熟達しております。イマサカ号の乗り組みの一員に加えられますならば、必ずやお力になろうかと存じます」

と若い朋親が堪《こら》えきれずに売り込んだ。

「朋親、差し出がましい！」

と怒りの声が達高から飛んだ。

「総兵衛様方の話は聞こえていても聞き流すのがわれら船人の務めぞ。おぬし、礼儀作法も心得ぬか」

とさらに激しい叱声《しっせい》が続いた。

「はっ、申し訳ございません」

若い朋親の顔が蒼白《そうはく》になり、船底にへばりつくように平伏した。その体がぶるぶると震えていた。

「まあ、待て、達高。若い朋親の気持ちもこの総兵衛、分からぬではない。われら船にあるときは、一日も早く陸地に上がり、落ち着き先をと願うておった。だが、こうして武と商の拠点が整うてみると、海に出たくて弾む心を押さえきれんでおる。それは池城一族の若者もまた同じ気持ちであろう」

「総兵衛様、いかにもさようでございます。ですが、海上において己の分を越え、礼儀を欠いては厳しい船の暮らしが成り立ちませぬ」

大きく頷いた総兵衛が、

「朋親、達高の言葉胆《きも》に銘じよ」

「はっ」

「その上でそなたの申し出、総兵衛、嬉《うれ》しく聞きおく」

と総兵衛が答えたとき、猫の九輔が、

「深浦の絶壁が見えてまいりましたぞ」

と大黒屋の船隠しが見えてきたと報告した。

四

琉球型小型帆船が深浦の大黒屋の船隠しの静かな海に入って行くと、まず修理がなったイマサカ号と大黒丸と明神丸の三艘《そう》の帆船が船体を並べて、総兵衛らを静かに出迎えてくれた。

この数か月の修理でイマサカ号の外観は一変し、交趾からの逃避行で受けた痛手などどこにも見えなかった。まるで新造帆船のように堂々とした姿を静かな海に浮かべていた。こちらには正月飾りか、ランタンが三檣の間に張られた麻綱に下げられて静かな海に彩《いろど》りを添えていた。

一方、大黒丸は去年最後の古手木綿の船商いから戻ったばかり、イマサカ号が母鳥でもあるかのように、その傍らに寄り添って船体を休めていた。

今後この二艘の帆船が大黒屋の異国との交易商船として相携えて活動することになる。

「総兵衛様、今からこの二艘の船が異国の湊《みなと》に入っていく光景が見えるようで、わくわくしますよ」

と光蔵が誇らしげに見上げた。

「おれはイマサカ号の檣楼に上がってみてえ」

と朋親が思わず呟《つぶや》き、達高に睨《にら》まれた。

だが、朋親の視線はイマサカ号の主檣の檣楼を見上げていて、それに気付かなかった。

いや、その幸地達高さえ海面から二百数十尺と聳《そび》える主檣《メインマスト》や前檣《フォアマスト》を見上げて溜《た》め息《いき》を吐《つ》いた。そして、

(何度見ても見飽きない船だ)

と思った。

和船としては巨船の大黒丸がまるで小舟だ。

イマサカ号の修繕中、達高は幾たびとなく船内に立ち入り、知恵蔵と一緒に修繕の手助けをした。

修繕の中心になったのは今坂一族の船大工のト老人とその倅《せがれ》のホイだ。二人

の船大工に深浦の造船場の和船大工の浜正と三人の弟子が協力して、六人で四か月にわたる修繕をなした。

その折、大黒丸の舵方《かじかた》の達高は立会い、時には材木を削り、銅板を船底に張るなどの手伝いをした。達高の関心を引いたのはやはり西洋帆船の舵だった。舵輪《だりん》は上甲板にあったが、舵軸は船体を真っすぐに貫き、その先に、巨大な角材の舵柄がついていた。

舵は船尾の船底に突き出た部分に大きな鉄の蝶番《ちょうつがい》で固定され、舵輪を回し舵柄が動いて舵を左右に振るもので、なんとも大がかりな仕組みだった。

この舵の仕組みに慣れるには航海方の知恵蔵の下で長い修練の歳月が要ると達高は思った。

さらに巨大な帆の拡帆、縮帆作業も大がかりで横桁《よこげた》に駆け上がり、また麻綱を引いて畳む作業を迅速にこなす今坂一族の男たちに感心した。

達高はイマサカ号の仕組みを知れば知るほど、大海原に全帆航海で走らせてみたい欲望に駆られた。そして、覚えることが多い西洋帆船の構造と操舵に絶望すら覚えた。

（なんとしてもこの船の操船を己のものにしたい）

達高は強迫観念に苛《さいな》まれていた。だからこそ朋親の気持ちが分からない達高ではなかった。

大黒丸の操船を担当してきた池城一族だ。だれもがイマサカ号を最初に見たときから虜《とりこ》になってしまっていた。

いつの日か、イマサカ号を駆って大海原に向かうのは海人幸地達高の夢であり、池城一族の野望だった。そしてそれは鳶沢一族の可能性でもあった。

総兵衛らも修理を終えたきれいな船体を改めて眺め、異郷の海を疾走する姿を脳裏に思い浮かべた。船上には留守番の人影があって、一族の総帥《そうすい》に手を振って迎えた。

浜辺にも大勢の人々が出迎えていた。すでに、

「総兵衛、来《きた》る」

の報が岸壁の見張り砦《とりで》から知らされていたのであろう。

「おおう、なんとも賑《にぎ》やかな飾り付けじゃな」

光蔵が思わず嘆声を上げたほど、船隠しの浜に並ぶ建物や造船場には和風、

琉球風、交趾風の正月の飾り付けがなされて、深浦の船隠しはまるで国際交易湊の風情《ふぜい》を漂わせていた。

琉球型小型帆船はすでに帆をおろし帆柱を倒していたが、その胴ノ間に立った総兵衛が、

「ご一統、明けましておめでとうございます」

と丁寧に祝意を述べると船からも浜からも同じ言葉が戻ってきた。

総兵衛はさらに交趾の言葉で正月の賀を述べると総兵衛の一族の面々がそれに応じた。

おりんは、浜辺に立つ女衆《おなごし》の中に母親のお香の姿を目に留めていた。お香は十三、四歳の娘の手を引いていた。

整った顔立ちの娘の双眸《そうぼう》はどこか遠くを見ていた。顔の表情も能面のように凍り付いていた。

おりんは、御側衆《おそばしゅう》本郷康秀が六義園の闇祈禱《やみきとう》を行ってきた面々に差し出した貢物《みつぎもの》の娘かと気付いた。

お香は、おりんの前に富沢町の大黒屋の奥向きを取り仕切ってきた女衆だが、

おりんが一人前の奉公人として育ったと判断したとき、鳶沢村に戻り、静かに余生を過ごしていた。それが十代目総兵衛の誕生に絡《から》んで、再び光蔵らに江戸に呼び戻されていた。

総兵衛とともにイマサカ号で深浦に着いた今坂一族の者たちに和語や漢字を教える師匠の役目を負わされてのことだった。

お香は歴代の大黒屋の女衆の中でも作文に長《た》け、字を書くのも優れていたし、なによりきれいな言葉を話した。そんなわけで今坂一族の和語教育の師匠に選ばれ、深浦で寝食をともにしながら、この地の言葉や仕来《しきた》りや料理など諸々を教えていた。

「おっ母さん、元気」

とおりんの問いかけに鳶沢村から呼び出されたときより、ずっと生き生きとした顔のお香が、

「元気にしておりますよ。おりん、そなた、総兵衛様の足手まといになってはおりませぬか」

と異国生まれの総兵衛に仕える苦労を遠回しに尋ねたものだ。

「お香、おりんから教えてもらうことばかりだが、なかなか厳しい師匠じゃぞ」

と総兵衛がお香に笑いかけた。

「おや、おりんがさような失礼をいたしておりますか」

「なんの失礼なことがあろう。わが弟妹一族同様にこの総兵衛も習うことばかり多くてな、面倒をかけておる」

と船上から応じた総兵衛が、

「一族の言葉の習得具合はどうか」

「男衆は日中船の修理やら船具の手入がございますで、なかなか言葉を習う時間がございません。ですが、壱蔵さんを始め、池城一族の方々が作業を通して言葉を教えて下さいますでな、なかなか覚えがよい門弟衆にございますよ。交趾の方々は異国の言葉には馴染んでおられますで、あと半年もすればふだん遣いの言葉には不自由なされますまい」

「お香の教えがよいとみゆる」

と満足げに応じた総兵衛が小型帆船の船べりに片足をかけて、

ひょい
と船隠しの船着場、お香の立つ傍らに飛び上がった。するとお香の手に引かれた娘の体が怯《おび》えたように竦《すく》んだ。

「案ずることはありません、お葉さん」

とお香が娘に話しかけ、すり寄ってくる娘を片手で抱いた。

「お葉という名か」

「砂村葉、どうやら本郷家の陪臣の娘のようです。私と二人だけならばぽつんぽつんと話すようになりました」

「お香さん、可哀相《かわいそう》な目に遭《お》うた娘です、なんとしても元気な昔に立ち戻らせたい」

と信一郎がお香に願い、

「一番番頭さん、それにはいましばらく時が要りますよ。でも必ずやお葉さんを十四歳の元気な娘に戻して差し上げます」

とお香が請け合った。

「総兵衛様、かねての手筈《てはず》どおりに宴の仕度はしてございます」

と船隠しの長の壱蔵が総兵衛に報告した。

「ご苦労だったな。しかしながら正月ゆえ宴の刻限に支障はなかろうが、しばらく待て。われらがイマサカ号で積んできた品物を大番頭さんと一番番頭さんに見せたいでな、物産蔵に私どもを案内してくれ」

と総兵衛が壱蔵に命じた。

「畏《かしこ》まりました」

壱蔵は配下の者に宴の始まりはしばらく待つように言い残すと、総兵衛、光蔵、信一郎の三人を交易品が保管されている物産蔵二の蔵に案内していった。

二の蔵は交易品の中でも値が張る宝石貴金属、美術品、衣服、家具調度品、刀剣類などが保管される蔵だった。

土蔵造りの扉を壱蔵が腰に下げた大きな鍵《かぎ》で開いて中に入り、ランタンを灯《とも》した。

照明が灯された蔵の一階を見た光蔵が思わず呻《うめ》いた。

「イマサカ号の船倉にこれだけのものが積まれておりましたか」

「大番頭さん、ここにあるのはほんの一部でな、緞通《だんつう》などは総兵衛館の座敷で使われておるし、他の調度品もあちらにうずたかく積んであるぞ」

「驚きました。イマサカ号にはどれほどの荷が積めるのか」

と光蔵がまず積み荷の量の多さに驚きを示し、さらに嘆息した。

「量もすごいが、一目見てどの品もできのよいものばかりです。総兵衛様、天井からぶらさがったぎやまんの細工物はなんのためのものですか」

「大番頭さん、あれはシャンデリアと言うてな、南蛮紅毛人の館《やかた》の天井から吊《つ》るす照明具だ、あれだけで重さが二百貫（七五〇キロ）はあろう。これらの中には今坂家が使っていたものも混じっている」

小さいものは西洋煙管《ぎせる》から南蛮楽器、時計類、遠眼鏡、鼈甲《べっこう》、骨牌《こっぱい》、ぎやまんの壺《つぼ》、青磁白磁の皿、地図類、壺類、反物はチャウ、サントメ、ジャガタラ、ベンガラ、ギガン、サラタ、アレシャと縞物《しまもの》、革張りの書物、刀剣甲冑《かっちゅう》類、家具調度品、骨董品《こっとうひん》、緞通と数えきれないほどのものが二の蔵の一階と二階に整理されて詰まっていた。

「総兵衛様、これらは今坂家に深い関わりがある道具もございましょう、このたび、これらを売りに出してよいのですか」

と信一郎が気にした。

「われら一族の思い出の品は総兵衛館にて使うておる。これらを売り立てて次の交易の費用が捻出《ねんしゅつ》できるならば、そのほうがよかろう」

信一郎がゆっくりと二の蔵の一階から二階と見回り、

「総兵衛様、大番頭さん、江戸、京、大坂、大黒屋の関わりのある加賀金沢に分けて、一つ一つを丁寧に値踏みして売り出しましょう。反物に関しましては江戸だけでも捌《さば》けましょうが、できるだけまんべんなく売って頂きましょうか」

「一番番頭さんや、この蔵の中だけの品でどれほどの売値になりますな。私には見当もつかぬ」

と古着問屋の大番頭が首を捻《ひね》った。

「一つひとつが高価な品です。算盤《そろばん》を弾《はじ》いてみぬと総額は分かりませぬが、卸値にしても一万両は下りますまい」

「いや、そのような額では留まりますまい。たしかに長崎口の品も値がはるが、今坂家が長年かけて買いためてこられた品々、比較にもなりますまい。その数倍はするのではなかろうか、一番番頭さん」

「かもしれませぬ」

と応じた信一郎が、

「松の内明けに品々の台帳を造り、値を総兵衛様に相談しながら決めていきます」

と大番頭に約定した。

「一番番頭さん、異国の言葉だが品物台帳はあるんだ」

と壱蔵が口を挟んだ。

「それだとだいぶ手間が省けるな」

と信一郎が言い、

「台帳を和語にする作業は私がやろう」

と総兵衛が言い、

「品物台帳を富沢町に持ち帰ろう」

と提案した。

さらに総兵衛らは別棟の蔵に回り、大きな家具調度品、絵画類を見て廻った。

絵は光の陰影が巧みに描き出す四季の風景が描かれたものや、果物や陶磁器を描いた静物画だった。光蔵も信一郎も西洋の絵は日本の家屋にかけるにはいささか難しいと考えた。

「総兵衛様、そろそろ宴の刻限にございます。皆の衆は総兵衛様に会えるのを楽しみにしてこられましたで、そう待たせるわけにもいきますまい」

と壱蔵の言葉に総兵衛が頷《うなず》き、宴の場の総兵衛館の大広間に向かった。

総兵衛一行が深浦の船隠しを出たのは五つ（午後八時頃）前のことだった。

琉球型小型帆船の胴ノ間には帆布で手縫いした屋根が張られ、夜風があたらぬようにできているばかりか、緞通が敷かれた床には火鉢まで用意されていて快適だった。

総兵衛の膝《ひざ》の上にはイマサカ号の船長室の隠し部屋に残されていたという額がビロード地に包まれて置かれてあった。総兵衛がその包みを抱えてきたとき、信一郎が、

「総兵衛様、私がお持ちします」

と願ったが、

「後見、これは母の形見のようなものでな、私が富沢町まで運んでいこう」

と大事そうに抱えて信一郎に渡すことはしなかった。

幸地達高らが春浅い夜の寒さを感ぜずに富沢町まで戻れるように火鉢を仕度してくれたおかげで帆布幕舎の内部は温かだった。

「おうおう、これなれば夜風もものかは、極楽気分で江戸湾を突っ切れますぞ」

と光蔵が満足げに言い、船隠しを出た琉球型小型帆船は帆を張ったか、ばたばたと鳴った。そして、順風を受けた帆船は滑るように走り出していた。

「総兵衛様らが交趾から積んでこられた財物を見て、この光蔵、異郷とやらを死ぬまでに一度訪れてみたいと強く思うようになりました」

とほろ酔いの大番頭が若い主《あるじ》に言い出したのは大きく揺れもせず快走する小型帆船のせいだった。

「大黒屋はただの古着問屋であってはなるまい。もはや三百余州の商いだけでは成り立たぬ。異国との交易は六代目総兵衛様以来手掛けてきたこと、されど六代目は夢半ばで亡《な》くなられた気がする」

「いかにもさようでございますよ。その後の三代は余り異国との交易に熱心ではございませんでしたし、長い航海を苦になされぬほど頑健なお体ではなかった。私どもは十代目を迎えて、六代目の野望がようやく完成に近づくと見ております」

今晩の光蔵はいつもより上気していた。

「大黒屋の大番頭が異国を知るのはよいことだ。今年の交易に乗船していくか」

と総兵衛が光蔵に訊《き》いた。

「総兵衛様も参られますか」

「私がイマサカ号に乗って交易に従事するのは数年後のことであろう」

「おや、それはまたどうしたことでございますな」

「大番頭さん、交易につくよりこの国を知ることが先のような気がする。長い目で見ればそのほうが大切かと思う。後見、このことどう思うか」

と若い主が後見役の信一郎に質《ただ》した。

「ようも仰《おお》せられました。今われらに大事なことは鳶沢一族の土台がためかと思います。富沢町にどっかりと総兵衛様がおられることがなにより大事かと存じます」

信一郎の言葉に総兵衛が頷き、光蔵が、

「交易は琉球店を拠点にイマサカ号と大黒丸が南の国に往来する仕組みを作れば、総兵衛様の陣頭指揮がなくともできるか」

と自らに言い聞かせるように呟《つぶや》いた。

「この総兵衛が富沢町に神輿《みこし》を据えておるゆえ、大番頭さん、異国を見ておいでなされ」

「総兵衛様、正直告白しますとな、帰り際《ぎわ》にイマサカ号の簡易階段を上がるだけで息が切れました。光蔵がもう十四、五歳若ければ異国交易につくこともできたでしょうがな、残念ながらあの体たらくでは皆の足手まといです。総兵衛様ともども富沢町に神輿を据えて、本丸の留守番を致します。交易は信一郎、そなたらの役目です」

と光蔵が言った。

総兵衛は深浦を去る前に、

「イマサカ号を訪ねたい」

という光蔵ら三人を船長室に案内したのだ。

「総兵衛様、大番頭さん、その体制を作るためには一つだけ差し障《さわ》りがございます」

「影様のことじゃな」

と総兵衛が応じた。

「いかにもさようです。本郷丹後守康秀様がなにを考えておられるか知るのが、大黒屋の商いを立て直すうえで必須のことと存じます」

「信一郎、影様の身辺をほじくるのはわれら鳶沢一族の禁忌じゃが、この際、本郷様の身辺に一族の者をいれるか」

と光蔵が言い出した。どうやら船に乗って酔いも醒《さ》めてきたようだった。

「総兵衛様、大番頭さん、すでに御側衆の本郷屋敷に男衆と女衆一人ずつを入れてございます。担《かつ》ぎ商いの千造といねの夫婦にございます」

「おや、手早いことで」

と光蔵が信一郎を見た。

「総兵衛様、佃島《つくだじま》の灯りが見えてきましたぞ」

琉球型小型帆船の舵棒《かじぼう》を握る幸地達高の声がして、総兵衛一行は江戸に戻り着いた。

「長い一日でございましたな。総兵衛様、お疲れではございませんか」

とおりんが総兵衛に言い、

「おりん、そなたこそ疲れはせなんだか」

「私はおっ母さんと会うことができて楽しい一日にございました。総兵衛様、砂村葉という娘が正気を取り戻すとき、私どもに大きな力を貸してくれるような気がするのですが」

「おりん、あの娘はひどい仕打ちを主から受けたのだ。ゆっくりとな、時間をかけて心身の傷を癒《いや》すがよかろう。お香はそのことを承知しておるわ」

総兵衛の言葉におりんが、

「はい」

と首肯した。

第四章　長崎口売り立て

一

七日《なぬか》正月も済み、なんとなく江戸の町が平常に戻ろうとしていたとき、大黒屋では浙江《せっこう》省産の木綿千五百貫（約五・六トン）を青梅《おうめ》の、七百貫を真岡《もおか》のそれぞれ木綿機屋《はたや》に売り、それぞれ荷運び頭の権造の配下の者が一人ずつ荷駄に従って運んで行った。残りの木綿もすでに売り先が決まっていた。大黒丸の秋口から師走《しわす》にかけての何度かの琉球往来の木綿交易は、地味ながら確実な利を得たことになる。

そんな折、幕府は長崎、大坂、堺、京都、そして江戸の五か所の商人を指定して、長崎から流入してきた異国の交易品の売り立てを開始した。

江戸では室町二丁目の辻《つじ》に代々異国の美術装飾品を扱う山城屋三条、この界隈《わい》《かい》では南蛮屋と呼ばれる店が幕府から許しを受けて、長崎の交易品の展示売り立てを行うことになった。

元々幕府の金蔵の不如意《ふにょい》を補うための五か所売り立てだ。

八つぁん、熊さんなどと呼ばれる裏長屋の住人には関わりがない話だ。

大名諸家や要職にある大身旗本、大店《おおだな》の主《あるじ》や分限者《ぶげんしゃ》の中で西洋の書画骨董《こっとう》、珍奇貴金属に関心があり、金銭に余裕がある好事家《こうずか》となると、江戸といえどもそうたくさんはいない。

大黒屋では大番頭の光蔵が売り立てを見に山城屋三条に顔を出した。イマサカ号に積まれてきた今坂一族の荷を売るにあたって参考にするためだ。

その昼下り、大黒屋の奥に女客があった。

光蔵が根岸に住いする坊城麻子《ぼうじょうあさこ》を総兵衛のもとに案内してきたとき、総兵衛はひなを膝《ひざ》の上になにか思案していた。

春先に富沢町が一体となって催す富沢町春の古着大市の企《くわだ》ての細部を考えて

いたのだ。

坊城の名を聞いて、坊城家が江戸に住いするようになり、大黒屋と深い関わりを持つことになった経緯を『鳶沢一族戦記』で読んだことを総兵衛は思い出していた。

代々京の天皇家の近臣を務める中納言《ちゅうなごん》坊城家が坊城麻子の実家であり、朝廷勅使を務める柳原大納言家にもつながる名家であった。

大黒屋と最初に関わりを持ったのは百十三代東山天皇の近臣中納言坊城公積《きんつみ》の娘崇子《たかこ》が京の老舗《しにせ》呉服屋じゅらく屋の奉公人の松太郎とわりない中になったことが発端だ。

崇子が懐妊したことを知った松太郎は崇子の実家に知れることを恐れ、江戸に逃げ戻った。この不実な松太郎を追って、身重の崇子がじゅらく屋の老番頭をともに江戸入りした。

その折、六代目総兵衛が崇子に同情して江戸で身を立てるようにした経緯はもはや繰り返すまい。

崇子は松太郎との間にできた佐総《すけふさ》を生きがいにして大黒屋が異国から仕入れ

た珍品雑貨装飾品などを江戸の趣味人や分限者や大名諸家に仲介する、いわば、

「南蛮骨董商」

の看板を掲げた。

坊城家は格別に江戸で店を構えるわけではなく、文人墨客が好んで隠棲《いんせい》する根岸の里に屋敷を構えて、特定の客筋を相手に地道な商いを続けてきた。根岸の江戸坊城家は知る人ぞ知る、

「公卿《くげ》商い人」

として認められていた。

このように坊城崇子が六代目総兵衛の手助けを得て、江戸に暮らしの場を移してからおよそ百年の歳月が過ぎた。

もはや大黒屋と坊城家の知り合った経緯を知る者は江戸にもそうはいない。いや、だれもが古着問屋を束ねる惣代《そうだい》格の大黒屋と南蛮骨董商の江戸坊城家は、

「親類縁者」

くらいに思っていた。

この日、麻子は、山城屋三条の長崎口交易品の売り立ての会場に顔を出して

いた大番頭の光蔵とばったりと出会った。

「総兵衛様、売り立ての場で久しぶりに根岸の麻子様のお顔を見ましたでな、無理を申して富沢町にお連れ申しました」

と光蔵が説明し、麻子が十代目総兵衛の前にぴたりと正座して、

「総兵衛様、坊城麻子にございます。日頃から大黒屋様の世話になってきた坊城家でありながら、九代目総兵衛様が身罷《みまか》られたことも十代目様が就位なされたことも存じ上げず、義理の悪い話にございます。松の内が明けましたら大黒屋様にご挨拶《あいさつ》に参ろうかと存じておりましたところ、本日売り立ての場で光蔵さんにお目にかかり、お勧めに従い、厚かましくもかように従うて参りました。ご挨拶が遅れましたこと、重々お詫《わ》び申します。お許し下さい」

と臈《ろう》たけた声音で丁寧に詫びる様子は江戸坊城家が大黒屋を主家と立てていることを如実に示していた。

「麻子様、坊城家と大黒屋の間にさような挨拶など無用です。親戚《しんせき》同様の間柄と江戸では知れ渡った二家ではありませんか。どうかお頭《つむ》を上げて下され」

と若い総兵衛勝臣が麻子に微笑《ほほえ》みかけて、顔を上げさせた。

そのとき、麻子は十代目総兵衛に異人の血が流れていることを敏感にも悟った。それは麻子の出自のせいであろう。公卿の家に生れた者は、ことさらに血統に敏感にならざるを得ない。

京では万世一系と天皇の血筋を守り抜くことに心血を注ぎ、このために幾多の戦いや政争があった。天皇家の血統を護持することで神秘性と象徴性を保ち、武家の頭領が開いた江戸幕府とある種の緊張関係を持ち続けてきたのだ。

朝廷と幕府は両輪の車の如《ごと》く、両者が助け合い利用し合う必要不可欠な制度だった。

だが、天皇の近臣たる坊城家の娘の崇子が京を離れて以来、百年余四代の時が流れて、坊城の血を江戸で保持しつつも、その家風は自ずと京の坊城家と離れたものになってきていた。

「総兵衛様、麻子様は京の地で修行をなされていた娘御の桜子《さくらこ》様を迎えにいっておられたために、九代目総兵衛勝典《かつのり》様のご逝去も十代目総兵衛勝臣《かつおみ》様のご就位もご存じなかったのでございますよ」

光蔵が麻子の挨拶が遅れたことに触れた。

「大番頭さん、うちと根岸ではなんの遠慮も形式的な礼儀も要りませぬ。六代目総兵衛勝頼と崇子様以来、苦楽をともにした一族ではございませんか」

と総兵衛が微笑を絶やさぬ顔を麻子に向け続けた。

この時、総兵衛もまた、麻子に流れる、

「京の血」

を鋭く感じとっていた。

武家が作り上げた徳川幕府の政治官僚体制とは異なる、

「ゆったりとした時の流れ」

が三十七、八と思える麻子の透き通るような肌と整った顔立ち、特に目の光に感じとられた。それは穏やかなようで、芯《しん》の強い確固とした意思を示す眼光であった。

「娘御を京の地に参らせ、習い事をさせておいででしたか」

「総兵衛様はわが坊城家がなぜ江戸に暮らしていかねばならなかったか、ご存じのようですね」

麻子の問いに総兵衛は黙したまま首肯し、

「私どもがこの江戸で商いを続けられるのは大黒屋様のお力添えがあってのことです」

と麻子が言い切った。

「それともう一つ江戸坊城家が江戸に受け入れられた理由がございます。南蛮骨董を扱う公卿商い人として京の血が目に見えぬところで役に立っておりまする」

と簡潔に麻子が江戸坊城家の立場を告げた。

「総兵衛様、私には娘の桜子と息子の公親《きみちか》の二人を授かりました。二人の気性を見るところ、江戸坊城家の商いを継ぐものは長女の桜子において他はあるまいと思い、桜子を私の手元から離しました。江戸に生まれた桜子が江戸育ちに成長する前に実家に預けて京の事どもを勉強させました、五年前にございます。この件につきましてもすべて九代目の総兵衛勝典様にご相談申し上げてのことにございました。その勝典様がお亡《な》くなりになるとは努々《ゆめゆめ》考えもしなかったのでございます、お許し下さい」

と麻子が重ねて詫びた。

「麻子様も桜子様もよう五年辛抱なされましたな」

若い総兵衛の口調は優しさに満ちていた。

「総兵衛様のご苦労を思えばなんのことがございましょう」

と麻子が総兵衛の血の中に異国の血筋を嗅《か》ぎ取ったことをやんわりと告げ、

「麻子様、山城屋三条さんの売り立てはいかがでしたか」

と総兵衛も話題を転じていた。

「山城屋三条さんが幕府から委託された長崎品をすべて展示なされたわけではございますまい。ために全容は分かりませぬが、なかなかの品々と思いました」

と麻子は当たらず触らずの返答をなした。

「満足なされておられぬようですね」

麻子の顔に迷いが走った。正直に答えるべきかどうか逡巡《しゅんじゅん》したのだ。

「いえ、何点かはお客様のお顔が浮かんだ品がございました。ただ、貴重な品が出てくるのは長崎、堺、大坂、京の四か所の売り立ての具合を見てからになろうかと考えておりますところに大番頭の光蔵さんから声を掛けられたのです」

　と応じた麻子が、

「大番頭さんから大黒屋様では長崎口とは別の交易品をお持ちとお聞き致しました」

「麻子様、ご覧になって頂けますか」

「光蔵さんにご無理を願ったのはその話を伺ったからにございます」

　総兵衛は麻子が山城屋三条の売り立てにやはり満足できなかったのだと感じとった。

「麻子様のお眼鏡に叶《かな》うものかどうか」

　と危惧《きぐ》の言葉を口にした総兵衛が、

「大番頭さん、内蔵に麻子様をご案内して下され」

　と願い、

「大番頭さん、私どもがついてご案内するよりは麻子様お独りでとくと目利《めき》きなされるほうが却《かえ》ってよかろうと思うが、どうか」

「はい、麻子様のお好きなだけじっくりと吟味できるように内蔵にお一人でお残り頂きます」

と光蔵が麻子を連れて店蔵の一つ、交易品が収納展示された蔵へと向かった。

母屋《おもや》から離れの廊下に人の気配がして、おりんが茶菓を持参した。

「おや、麻子様はどうなされました」

「内蔵に大番頭さんが案内してゆかれた」

「麻子様は四代の主様の中でもいちばんの目利きと評判の南蛮骨董《こっとう》の商い人です。どうやら本日の山城屋三条さんの長崎口にはご不満のようですね」

と長い付き合いのおりんが麻子の顔色を読んだように言った。

「やはりそうか。うちの品は麻子様に満足してもらえるであろうか」

と総兵衛が不安げな顔をした。

「総兵衛様、おりんは南蛮骨董の価値が分からぬ女にございます。されど正月二日に深浦で見せて頂いた品々の中には今坂家が愛していた品々がございましたね、その慈《いっく》しんでこられた品がおりんになにかを訴えかけるようで、あの感じは金銭の高に変えられるものではありません」

「おりん、慰めてくれんでもよい」

「総兵衛様、おりんは慰めなど申しておりませぬ。正直に心に感じたことを申し上げました」

「交易というもの、何万両になると思うた品が二束三文の評価しかうけぬこともあれば、雑貨と思われた品が何万両に化けることもある」

「それはまたどうしてにございますな。古着商いでは十文の品が一分に買われることなど滅多にございません」

「古着は日常に使うものであろう。じゃが波濤《はとう》万里を越えて南蛮や紅毛人の国から船で運ばれてくる交易品は違う。限られた船倉の中に船積みされるのだ。重くのうてできるだけ小さく、かつ値よく売れる品を厳選する。骨董美術が多くなる理由だ」

「いかにもさようでございましょう」

「ある人にとってなんとも安っぽいと思われるウンスン歌留多《カルタ》が別の人には何十両の値をつけられることがある。それはそのウンスン歌留多を心から欲しいと思う客がいて、その品を偶々《たまたま》所持している人がおるから成り立つ商いじゃ」

「イマサカ号にたくさんの品を積んでこられましたが、総兵衛様にとって大事な品はなんでございますな」

「さあてな、交趾を追われたわれらが敵方の目を逃れて慌《あわ》てて積み込んだ品々だが、私にとって大事な品とな」

と総兵衛が想《おも》い悩む表情を見せた。

「決めきれませぬか」

おりんは、正月二日の帰り船に総兵衛が膝《ひざ》の上に抱いてきたビロードの布包みはなんだろうと思っていた。

総兵衛もそのことを考えていたが、口にはしなかった。

「総兵衛様」

と光蔵の声がして、

「麻子様を蔵に残して参りました」

「目利きの麻子様の様子はいかがかな」

「蔵に入られた瞬間、麻子様は身を竦《すく》めなされて、じいっと蔵の品々を眺め回しておいでにございました」

「それはまた感に堪えた行動か、呆《あき》れられた反応か、どちらであろう」

「それはもう感嘆されたから身を竦めなされたのでありますよ」

「そうであればよいが」

「総兵衛様、自信がおありではないのですか」

「おりんにも申したがな、このような世界はある人に千両の価値を持つ品が別の人には一朱にもならぬことがままある。麻子様のお眼鏡に叶わずとあれば、内蔵の品はがらくたよ」

その答えを聞いておりんが、

「このように不安なご様子の総兵衛様を見るのは初めてにございます。麻子様が内蔵からお戻りの頃合いにまたお邪魔いたします」

と笑い、光蔵と一緒に店に戻っていった。

どれほどの刻限が過ぎたか。

麻子が総兵衛のいる座敷に戻ってきた。総兵衛が見ると顔が上気しているように思えた。

「総兵衛様、私が覗《のぞ》かせていただいた内蔵の品々は、お持ちの交易品のすべてにございますか」

「いえ、ごく一部の品にございます」

「一部の品であれだけの数と質にございますか」

「気に入られましたか」

「ペルシャ織の緞通《だんつう》といい、紫檀《したん》の飾り棚といい、ぎやまんのシャンデリアといい、あれ以上のものはございますまい」

「よかった」

と総兵衛が胸を撫《な》で下ろし、笑みを浮かべた。すると総兵衛は、麻子が最初に見た時の印象よりもずっと若いことが分かった。

「総兵衛様、ご自分の眼を信じなされてようございます。どの品も逸品にございます。総兵衛様がお手持ちの品をすべて、この麻子に見せて下さりませ」

「麻子様は江戸でも評判の南蛮目利きじゃそうな。どこでその眼力を身に着けられましたな」

「亡父が私を初めて長崎に連れていったのは十三の年にございました。長崎会所の唐絵目利《からえめきき》や出島御用絵師などからかの地の書画骨董を始め、あれこれと教えられました。二度目の長崎行は大黒屋様の船に乗せてもらいまして、十五の春に長崎に独り参り、二年ほど長崎会所の高島家に世話になり、異国のこと、交易のことを勉強致しました」

「まさか坊城麻子様にそのような修行時代があろうとは存じませんでした」

と応じた総兵衛が、

「麻子様、異国を訪れたことは」

との問いに麻子が首を横に振った。

「異郷を知らぬとほんものの目利きにはなれませぬか」

「麻子様、この総兵衛にお尋ねで」

と反問する総兵衛に麻子が、

「お尋ねして宜《よろ》しゅうございますか」

「なんなりと」

「総兵衛様のお体に流れる血の由来をお伺いいたします」

と麻子がずばりと聞いた。

ふっふっふ
と笑った総兵衛が、

「六代目総兵衛勝頼《かつより》様とわが曾祖母《そうそぼ》、今坂一族の血をひくソヒが出会うてわが祖父が誕生しましたゆえ、私の体内には鳶沢《とびさわ》一族を初めとしていくつかの血が混じり合うて流れております」

「今坂一族」

「ご存じか、麻子様」

「今坂一族が日本人町を造ったのは交趾あたりかと思います」

「その末裔《まつえい》がこの総兵衛にございます」

麻子が得心したように微笑《ほほえ》んだ。

渡り廊下に足音がしておりんが、

「麻子様、桜子様がお迎えに参られましたよ」

と声をかけ、総兵衛と麻子が話す大黒屋の奥座敷に光蔵とともに新たな訪問者が姿を見せた。

「桜子、ようも私が大黒屋様にお邪魔しておると分かりましたな」

母親の問いに障子の陰から若い声が響いた。

「母様《かか》、山城屋三条はんの番頭はんが教えて下さいましたえ」

と京言葉が返ってきて、おりんの後ろから娘が姿を見せると総兵衛の眼と眼が合った。

芳紀まさに十八歳、光り輝く艶々《つやつや》とした黒髪が三つ輪に結われ、正月に相応《ふさわ》しい光琳《こうりん》の紅白梅図模様の京友禅の総絞りの振袖《ふりそで》を着た娘の背筋は、ぴーんと通っていた。そして、母親の肌色を受け継いだ娘の細面は一点の非なく整い、双眸《そうぼう》がきらきらと輝いて、娘の好奇心と行動力を示しているように思えた。

なにより正面をひたっと見詰める両眼はこの世の中に不可能なものなどないという自信に満ちた表情に溢《あふ》れていた。

「これ、桜子、総兵衛様にご挨拶《あいさつ》をなさぬか」

母親が廊下に立ち竦んで総兵衛を見詰める娘に注意をした。

「母様、わてが承知の総兵衛様と違いますえ」

と娘の口から意外な言葉が発せられた。

「なに、桜子は総兵衛様が違うといわはるか。おお、ほんに桜子は先代の総兵衛様しか、知らんやったな」

と母親も思わず京言葉に変えて言った。

「どなたはんやろ」

と桜子が呟《つぶや》き、当の総兵衛が微笑んだ。

二

「わてが知らんお方が笑いはった」

「坊城桜子様ですね、総兵衛勝臣です」

「わてが京に上がったころの総兵衛様はどないされたんやろか」

「桜子様、九代目は昨秋、身罷《みまか》りました」

「死なはった? なんでやろ、まだお若い身空でどないしやはったんやろ」

「労咳《ろうがい》を患《わずら》いましてな、お亡《な》くなりになられましたので」

とおりんが桜子に説明し、

「ご覧なされませ、あのように新仏として歴代の総兵衛様と一緒にあちらにおられます」

と仏間を指した。

あっ、と戸惑いの声が麻子の口から洩《も》れた。

「なんということでっしゃろ、わてとしたことが九代目総兵衛様のご霊前にご挨拶もせんと、気付かんことでした」

おりんに導かれるように母親の麻子と桜子が仏間に移り、仏壇の前に座った。

総兵衛は親子が仏壇の前で手を合わせる様子を見ていた。姉妹のような親子だった。母は年齢よりも若く、娘は五年の京暮らしを経て齢《とし》以上にしっかりとした顔付きだった。

「有難うございました」

と座に戻った親子に総兵衛が礼を述べた。

「総兵衛勝臣様、坊城桜子にございます。向後末永いお付き合いをお頼みもうします」

桜子がようやく目の前の人物を大黒屋の主《あるじ》と認めたか、改めて挨拶をなした。

「桜子様、こちらこそ宜《よろ》しゅうお願い申します」

夢見るような桜子の瞳《ひとみ》が総兵衛を見て、

「総兵衛様、どちらでお生まれになったんやろか」

と呟いた。

桜子もまた母親と同じように総兵衛の出自を異国と見抜いたか。

「これ、桜子、失礼を申すではない。総兵衛様は駿府鳶沢村に大事抱持にお育ちになられたお方ゆえ、私ども江戸の人間には馴染《なじ》みがないだけです」

麻子の言葉を聞いた桜子だが、黙って総兵衛を見詰めていた。

その瞬間、総兵衛の胸中にいたずら心が湧《わ》いた。

「大番頭さん、おりん、京の修行を終えられた桜子様の祝いをしたい」

「膳《ぜん》の仕度はすでに申し付けてございます」

とおりんが応じた。

「その前にお二人に茶を一服差し上げたいが受けて頂けましょうか」

代々の江戸坊城家では、大黒屋、すなわち鳶沢家を主家として自らは臣下として位置付けてきたが、大黒屋では坊城家の出自を尊重して、主従の間柄を強要するようなことはしなかった。互いが立場を認め合って付き合ってきた百年だった。

総兵衛勝臣もまたそのことをよく承知しているように親子を対等な立場の人間として遇していた。

「総兵衛様お手ずからのお点前《てまえ》にございますか、頂戴《ちょうだい》しとうございます」

大黒屋の主から茶を点《た》ててもらうことなどこれまでになかったことだ。それにしても大黒屋の敷地の中に茶室があったか、坊城麻子は首を捻《ひね》り、異国風の茶の接待であろうかなどと考えを巡らした。

「麻子様、私どももこの家の中に茶室が隠されていようとは存じませんでした。総兵衛様が偶然にも歴代の主の道具が積まれた、離れ屋の縁に戸口があるのを見つけられました。角部屋から道具を取り出してみますとな、二百年近く前に造られたと思える茶室が現れましたので。総兵衛様はえらく茶室の佇《たたず》まいが気に入られたと見えて、なんぞ思案なされる時は、時折お籠《こも》りなさることがございます。私どもも未《いま》だ接待に与《あずか》ったことはございません」

光蔵が隠されていた茶室の秘密を親子に語り、

「それは恐縮至極にございます」

と麻子が戸惑いの表情を見せた。

「いえ、麻子様と桜子様がお出《い》でになられたのでご接待をしたいという気持ちが生じられたのでございましょう。ぜひお招きを受けてくだされ」

と光蔵は母娘に勧めながらも、

(総兵衛様がかような態度を見せられたのは富沢町に見えて初めてのことではなかったか)

と訝《いぶか》しく見ていた。

「わてらが初めてのお招きやと」

桜子もまた総兵衛との距離をどうとってよいのか迷う風で、総兵衛に直《じか》に問いかけることはなく、自問するように呟いた。

「いかにもさよう。総兵衛が思案所への初めての接待、初めてのお客人にございます。受けて頂けますな、桜子様」

総兵衛の言葉に桜子が頷《うなず》き、

「おおきに」

と礼を述べた。

「茶室の仕度はなっておりますので」

と光蔵が総兵衛に尋ねた。

「麻子様が内蔵におられたとき、茶室の隅炉《すみろ》に火を入れた」

と総兵衛が答え、

「とは申せ、我流の作法、主は先に参り客人を迎える仕度をしておこう」

と総兵衛が立ち上がり、離れ屋東側の廊下へと消えた。

「麻子様、桜子様、主の気持ちにございます。正月の座興と思召《おぼしめ》してお付き合い下さいまし」

と光蔵が親子に改めて願った。

「大番頭さん、大黒屋様は素晴らしい十代目をお迎えになられました。私、いささか九代目の病がちなお体を案じておりましたが、これでもはや大黒屋は万々歳にございます」

と応じた麻子の視線がふうっと仏間の位牌《いはい》に向かい、

「六代目以来の傑物、胆《きも》の据わった主様のようにございますよ」

と言ったものだ。そして、

「桜子、総兵衛様お手ずからのお点前頂戴しに参りましょうかな」

と娘に言い、光蔵とおりんに会釈《えしゃく》をして立ち上がった。

案内しようかどうか迷う風情《ふぜい》のおりんを光蔵の目が制した。

中庭に面して広々とした主の居室から親子が消えて、おりんと光蔵が顔を見合わせた。

「総兵衛様は桜子様が気に入られた様子じゃ、私一人の観察であろうか。どうですね、おりん」

「大番頭さん、あのように初々《ういうい》しい表情の総兵衛様を初めてみました」

「やはりそうか」

なにか言いかける光蔵を富沢小町のおりんが制して、

「その先のことを考えるのはいささか早うございますよ、大番頭さん」

「いかにもさようです。ならば年寄はお店に戻りましょうか」

と応じた光蔵が立ち上がりながら、

「血に非《あら》ずか」

と呟く言葉がおりんの耳に残った。

なぜ今まで離れ屋の東北の角に茶室が設けられ、その茶室が長年使いもされず忘れられていたか、だれもその経緯をもはや知らなかった。

総兵衛が離れ屋の縁に切り込まれた三尺にも満たない戸口を見て、その中に興味を抱いた。それは総兵衛がこの富沢町生まれではないからに他ならない。この離れに生まれ育った歴代の総兵衛には当たり前の風景であり、奉公人にとってはそこに戸が嵌《は》めこまれていたとしても主の居室の一角、触れてはならぬ場所だったからだ。

総兵衛は戸口の向こうが茶室と分かったとき、自ら茶室を片付けて掃除をなした。

わずか三畳間の広さの茶室の壁も天井も荒々しく塗られ、床框《とこがまち》には翌檜《あすなろ》の古木か、いくつもの大きな節が客を睨《にら》んで風情を見せていた。壁の北側に連子窓《れんじ》と下地《したじ》窓とを配し、そのせいで微妙な明暗が粗塗りの壁と畳に陰影を落していた。さらに天井は三つに分けて高低差がつけられ、化粧屋根裏を取りいれた造りになっていた。

総兵衛は隅炉の傍らに座して、茶釜《ちゃがま》から湯気が立ち上るのを見ていた。また総兵衛の前に明《みん》の窯《かま》で焼かれた小ぶりの白磁の茶碗《ちゃわん》が三つ、交趾ツロンから持参した茶壺《ちゃつぼ》が並んでいた。中国の奥地で摘まれた茶葉は、茶壺一荷《か》で屋敷一軒が購《あがな》える値だった。

廊下に人の気配がして、躙《にじ》り口に座った様子があった。

主は心静かに客の入室を待った。躙り口が開かれ柔らかな光が畳にさして、連子窓からの影を一瞬消した。

無言の裡《うち》に麻子と桜子の親子が入室し、泰然とした総兵衛の表情を見て、

「総兵衛様は茶の心得がおありか」

と新たに緊張した。

桜子は茶室の佇まいを眺めた。

わずか三畳の茶室には悠久の時の流れと雄大な空間が広がり、静寂の中にも緊張が支配しているように思えた。

桜子は、この狭小にして無限な空間、茶の湯特有の深い思索の場を創《つく》り出しているのは総兵衛自身と思った。

桜子のさ迷う視線が一点で止まった。

床の間に架かった茶掛けは風変わりなものだった。

朽ちかけた老木の洞《うろ》に半身を入れた老人が一人しゃがんで、杖《つえ》を両手に春の野山に視線をやっていた。枝の上から苫屋根《とまやね》が差しかけられて、洞が老人の方丈の庵《いおり》であることを示していた。傍らには犬が寝そべり、朽ちかけた老木の庵の背後には、戦いに斃《たお》れた戦士の骸《むくろ》や馬の死骸《しがい》が累々《るいるい》と広がっていた。だが、庵の前には春の野が穏やかにも広がっていた。

描かれた風景は日本のものとは思えなかった。

老人の双眸《そうぼう》に格別な感情は込められてはいなかった。百年先千年先を見詰めるようにただ眺めていた。

(なんと平穏な眼差しやろか)

と桜子は思った。そして、そのとき、桜子は思い当った。

この茶室の主は自らの出を、異人であることを桜子に教えているのではないか。

麻子もまた風変わりな茶掛けに込められた意味を解こうとして、この問いは自分にではなく娘の桜子に問いかけられたものだと思い至った。

「老師は、なにを考えておられるんやろうか」

と桜子の呟《つぶや》きが洩れた。

「われらが行く末を見ておられるのです」

桜子が総兵衛の言葉を聞いて立ち上がり、洞の庵に半身を入れて視線を未来に向ける老人を間近に見た。

小さな絵の世界に人類の過去も現在も未来も凝縮されて描かれていた。

そのとき、この絵の画面を上下に走る線を桜子は認めた。

(ああ、三枚扉の異国の絵ではないか)

桜子は主の意図が分からなくなり、総兵衛を振り見た。すると総兵衛が静かに頷いた。

桜子の手が扉に掛かった。

左右に扉を開いた。

中央には赤い衣装の母親が裸の赤子を抱いて正面を見詰めている図があった。

母と子の平穏な絵の背景は黒一色で、ために母子像をくっきりと浮かび上がらせていた。聖母マリア像かと麻子も桜子も緊張した。大黒屋の当代がきりしたんなれば、大黒屋と宗門改めの間に新たな確執が生じることを懸念《けねん》したからだ。

「私が生まれたころ、交趾に南蛮人の高名な絵描きが到来し、わが屋敷に滞在して母と私を描いたのです」

「赤子は総兵衛様どしたか」

「女子はんは総兵衛様の母御」

と親子が呟いた。

総兵衛が頷いた。

桜子は母子像から左右の扉絵に視線を移した。

左手は黄金色の残照に染まった雲を背景に娘の裸体像が虚空《こくう》にふんわりと浮かんでいる図柄だった。

もう一つの扉の絵は死を前にした老婆《ろうば》が終油を受けている絵だった。

「母が最も大事にしていた絵です」

と総兵衛が言った。

桜子の傍らに麻子が並んでその絵を丹念に見た。

「母上様はどうされたのですか」

と麻子が訊《き》いた。

「私が国を出るときの混乱で亡《な》くなりました」

「総兵衛様は、母上の形見の絵を持って江戸にこられたんどすか」

「いかにもさようです、桜子様」

と応じた総兵衛が、

「茶を淹《い》れました。お好みかどうか心配です」

と親子を座に就くように招じた。

狭い空間に三人の男女がいた。だが、だれもが窮屈とは感じてはいなかった。反対に広大無辺の宇宙で茶を喫する心持がした。

「総兵衛、江戸の茶の湯の作法を存じません、お許し下され。茶葉は漢人から購ったものだそうで、うちに長年伝わってきたものの最後の一荷です」

総兵衛が二人の前に小ぶりな白磁の茶碗を差し出した。小さな茶碗の中に中国の雲南《ウンナン》省の山奥で摘まれた茶葉が広がり、薄い黄金色に染まっていた。

麻子は小さな器に無限の空間と時の流れがたゆたっていると感じた。

「頂戴《ちょうだい》します」

とまず母親が茶を喫した。

温《ぬる》めの湯に豊穣《ほうじょう》な甘味が込められて口の中にふわりと広がった。

「なんと美味なるお茶にございましょう」

と思わず麻子が初めて喫した雲南の茶葉に感嘆した。

桜子が母に従い、茶を舌先に転がした。

なんとも優しい茶の味だった。

「どうですか、桜子様」

「総兵衛様、初めて喫する茶の風味にございます」

桜子の言葉に頷《うなず》いた総兵衛が自ら立てた茶を口に持っていき、香りを嗅《か》いだ。

そして、ゆっくりと茶を啜《すす》った。

「この茶葉が育った景色が見えるようです」

「総兵衛様はその地を訪ねられたことがございますか」

と麻子が娘に代わって訊いた。

「いえ、残念ながら」

「総兵衛様の育った地は山ではないのですか」

「港のほとり、海辺です」

と総兵衛は答えていた。

「総兵衛様にはあれこれと大事なものを惜しげもなく私ら親子に見せて頂きました。お礼の言葉もございません」

「なんのことがございましょうか」

「大黒屋と坊城家の間柄ゆえと申されますか」

「その他になにがございましょう」

と総兵衛の言葉には含みがあった。

「総兵衛は麻子様と桜子様になにごとも隠し事はしておりませんぞ」

「この麻子に内蔵の品々をお見せになったのも、総兵衛様は商いの上で駆け引きなどしたくないと思われてのことにございますな」

「駆け引きは商人と客の間のことにございましょう。大黒屋と坊城家は一族同然の間柄、駆け引きは要りませぬ。興味を惹《ひ》いたものがあれば大番頭なり一番番頭に命じればよいこと」

「母上、総兵衛様に直にお尋ねしてようございますか」

と桜子が母に尋ねた。いつしか京都の言葉から江戸言葉に代わっていた。それが桜子の緊張と好奇心を示していた。

なんなりと、と総兵衛が笑みを浮かべた顔で答えた。

「総兵衛様、母と私をこの茶室に接待なされた意味がございますか」

と桜子が尋ねた。

「ございますとも。お二人に総兵衛を知ってほしいからです」

「総兵衛様とはつい最前お会いしたばかり、桜子はなにも存じません」

「桜子、総兵衛様のお話を最後まで聞きなされ」

と母親が娘に注意した。それでも桜子が急《せ》くように尋ねた。

「総兵衛様とは何者にございますか」

「古着商の町富沢町を束ねてきた惣代《そうだい》にして古着問屋大黒屋の主《あるじ》にございます」

「それは表のお貌《かお》にございましょう」

「裏の貌がございますか」

「坊城の家に言い伝えられていることがございます、そうですね、母上」

「あったとしても口にせぬものです」

「当の総兵衛様の前ならば秘密が外に洩《も》れることはございますまい」

「ふっふっふ」

と総兵衛が笑い、

「桜子様、私もまた四月ほど前まで大黒屋総兵衛こと鳶沢総兵衛が何者か知らぬ人間にございました」

「総兵衛様は異人にございますな」

母も総兵衛の体内に流れる血を悟ってその由来をずばりと質《ただ》したが、娘もまたずばりと訊いてきた。

「桜子様、お答えします。いささか長くなりますが、お付き合い下され」

総兵衛の答えに桜子が頷き、麻子が姿勢を正した。

「桜子様は交趾という国をご存じにございますか」

「いえ、存じません」

「この江戸からなれば、季節風に助けられたとしても五十日はかかる南の地が私の故郷にございます」

総兵衛は初めて会った親子に自らの長い旅路と今坂一族の最後を語り聞かせ始めた。

三

「一番番頭はん、奥はなにやら親密やおへんか」

と大黒屋の帳場格子《ごうし》の中に並んで座る大番頭の光蔵が一番番頭の信一郎に話しかけた。このように光蔵が若い頃、修業に出た京の言葉を真似《まね》るときは上機嫌なときだった。

「総兵衛様は坊城家の麻子様と桜子様に心を許されたようです」

と信一郎が答え、

「どうしてやろ」

と光蔵が反問した。光蔵の胸中に答えは見つかっているのだが、それを信一郎に確かめたい、そんな反問の仕方だった。

「総兵衛様はまだお若うございます。うちのお店《たな》でいえば手代さんになって三、四年の年頃にございましょう。そのお若い肩に一族六百人余の命と将来を担《にな》わされておるのです」

「その重荷の上に大黒屋の命運も担わされたと言われますかいな、一番番頭はん」

「いかにもさようかと存じます。総兵衛様にとって、弱みを吐く場所も愚痴をいう相手もおりますまい。床を離れて床に就くまで気を張って生きておられる。このようなとき、私どもが助けになればよいのですが、総兵衛様はそのようなところを見せまいとしておられる」

「私どもに心を許しておられぬと聞こえますがな」

と普段の言葉遣いに変えて光蔵が応じた。

「大番頭さん、私どもが知り合うて、まだ半年の月日も過ぎておりませぬ。すべて信頼せよ、胸襟《きょうきん》を開けと申されても無理なことにございましょう。このようなとき、男がすがるのは女衆《おなごし》ではございませんか」

光蔵が信一郎を見た。

「私は生涯独り身を護《まも》ってきましたでな」

「私とて未だ独り身にございます。総兵衛様のお気持ちを察するしかございませんが、総兵衛様は日頃胸にためた迷いや悩みを坊城親子に話されておられるのではございませんか。むろん、江戸坊城家がうちとは深い信頼関係に結ばれておることを『鳶沢一族戦記』を読み解いて理解しておられるからです」

「女衆な、総兵衛様の傍らにはおりんがおるやおへんか」

光蔵の言葉は京弁から江戸言葉に、そして京のそれに揺れた。それだけ光蔵の気持ちが想《おも》い定まらないのだろう。

「おりんさんはわが一族の女衆にございます」

「坊城親子は違いますな」

「麻子様、桜子様とは立場が違います、おりんさんは生粋の鳶沢一族の女です、主従です。一方、坊城親子は総兵衛様が悩みを打ち明けたとしても他人に漏らすようなお方ではない、と直感なされたのでしょう。なにより親子は鳶沢一族に非《あら》ずしてかつ一族同然の交わりをなしてきた数少ない家族です。このような立場の者は他には琉球の池城一族しかありません」

信一郎の言葉に頷いた光蔵が、

「今坂一族の頭領が鳶沢一族の総帥《そうすい》になりきるにはまだまだ時が要るというこ

とやろか」

「総兵衛勝臣様一代で変わりうるかどうか」

「無理やろな」

信一郎は光蔵の問いとも答えとも付かぬ言葉をしばし考えた。

「総兵衛様のまだ見ぬ相手様によるのではございませんか」

「相手様とは嫁女のことやな」

「いかにもさようです」

「一族にそのような娘がおったか」

光蔵はこれまで何度も考えてきた命題に突き当たった。

「思い当りませぬか」

「このお店はむろんのこと、鳶沢村にも琉球店にもあれなればと思いつく娘がおらぬ」

としばし光蔵が黙り込み、

「一番番頭さん、桜子様はどないや」

と信一郎の顔を見た。

「いささかその問いかけは早うございましょう。それに坊城桜子様は鳶沢一族の出ではございません」

信一郎の言葉に光蔵が、そのようなことは分かっておるという表情で小さく呻《うめ》き、

「六代目の内儀の美雪《みゆき》様は流浪《るろう》の剣術家の娘にして総兵衛勝頼様の命を狙《ねら》った刺客であった」

「はい」

「血に非ず、と九代目は言い残された」

と呟《つぶや》いた。

そのとき、大黒屋の店先に初めてみる男客二人がおずおずとした風情《ふぜい》で敷居を跨《また》いで入ってきた。明らかに在所から出てきた様子で菅笠《すげがさ》を被《かぶ》り、股引《ももひき》を穿《は》いて縞柄《しまがら》の綿入れの裾《すそ》を絡《から》げていた。体付きと顔が似ているところを見ると親子かもしれないと信一郎は踏んだ。

大黒屋は古着問屋だが、時に在所の古着商いが買い付けに姿を見せるから、このような客がいても不思議ではない。

手代の九輔が揉《も》み手《で》をしながら、

「なんぞお探し物にございますかな。うちでは綿入れ、袷《あわせ》、単衣《ひとえ》と各種取り揃《そろ》えてございますし、金襴緞子《きんらんどんす》の絹物絹布から熊谷、渋川、太織、釘貫、〆紬と紬もの、曝《さら》し物の紗《しゃ》、縮《ちぢみ》、奈良曝《ならざらし》、上布《じょうふ》、下布、奈良絽《ろ》、木綿物では青梅、桟《サン》留《トメ》、菅大臣、手織、真岡、唐織品目なれば、阿蘭陀《オランダ》、琉球、綴錦《つづれにしき》、羅紗、猩々《しょうじょう》緋《ひ》、唐金巾《からカナキン》、唐更紗とあれこれと取り揃えてございます」

と流れるような口調の猫なで声で応対した。

九輔の立て板に水の喋《しゃべ》りを茫然《ぼうぜん》と聞いていた親子が菅笠の紐《ひも》を外して、

「手代さん、仕入れと違うんや」

と言った。

「おや、仕入れと違いましたか。道に迷いなされましたか」

「いえ、道にも迷うておりません。大黒屋を訪ねて参じました。大番頭の光蔵さんか、一番番頭の信一郎さんに会いたいんや」

「おや、大番頭さんと一番番頭さんを名指しにございましたか、これはまた失礼をば致しました」

と応じた九輔がちらりと帳場格子を見た。信一郎が曰《いわ》くある客とみて、

「手代さん、店座敷にご案内して下さい」

と命じた。小さく頷《うなず》き返した九輔が、

「一番番頭さんがお話を伺いますのでどうぞお上がり下さいまし」

と店の端の上がり框《がまち》に案内した。

大黒屋では荷を捌《さば》くための土間と板の間が広くとってあったが、上がり框の端から客を上に招じることがあった。店の裏に小座敷が三つ並んでいて、上客や込み入った話の客とはこの店座敷で応対した。

「一番番頭さん、覚えがございますかな」

大黒屋の大番頭の口調に戻した光蔵が信一郎に訊《き》いた。

「いえ、初めてのお方かと存じます」

「江戸近郷から出てこられた親子やな」

「様子からそう察しました」

と答えた信一郎が、

「私がお話を伺って、用が足らぬようなれば大番頭さんをお呼びします」

「願いましょう」

と光蔵に言われて、信一郎は帳場格子を出て、店の裏に姿を没した。

そろそろ七つ半（午後五時頃）も間近、初めての商売人が姿を見せる刻限ではなかった。店の中は馴染《なじ》みの顔ばかりで今しも担《かつ》ぎ商いのおきみが、

「番頭さん、頼んでおいたものは揃っているかね」

と煙草《たばこ》の吸い過ぎで嗄《か》れた声で問いかけたものだ。

おきみは坊主《ぼうず》の権造のお袋で、ということは鳶沢一族の女衆で、この界隈《かいわい》でもその親子の関係はあまり知られてなかった。

「おきみさん、木綿もののいいのを揃えてございますよ」

と四番番頭の重吉が応対を始め、おきみがちらりと光蔵に視線をやって、

「相変わらず大番頭さんの体から煎《せん》じ薬の匂《にお》いが漂ってきますよ」

と言葉をかけた。

「おきみさんや、齢《とし》には勝てませんでな、あれこれ薬を飲みます。ために匂いくらいいたしましょう。まあこれで古着の湿気《しけ》った臭《にお》いを消すくらいの効果はあるというもので」

と光蔵が掛け合ったとき、店座敷からの合図の、小机下に隠された小さな鈴がかすかな音を響かせた。

「どっこらしょと」

と掛け声をかけながら帳場格子を立った光蔵がおきみに目で、

「仕入れが終わっても待つように」

と命じた。

光蔵が店座敷に入っていくと、三人の間に袋から出された木綿《きわた》が広げられていた。光蔵に覚えのある品だが、素振りも見せずに腰を下ろして挨拶《あいさつ》した。

「大番頭の光蔵にございます。帳面の区切りをつけておりましたでな、顔出しが遅れまして相すみません」

と言い訳をしながら光蔵が改めてじっくりと木綿に視線を落とした。

「大番頭さん、こちらのお客様は木綿を買《こ》うてくれぬかというご相談にございましてな」

「一番番頭さん、うちは古着問屋にございますぞ。木綿はな、古手木綿としてお目こぼしの品、ために扱わんこともないが、この節、町奉行所の取締りも厳しゅうございましてな」

と言いながら、

「売りたいと申されるのはこの木綿にございますな」

と袋に載せられた木綿を二つほど摑《つか》んだ光蔵が中庭の光に翳《かざ》して、

「おや、この木綿、和国産ではございませんな」

「と私も睨《にら》みました。中国は浙江《せっこう》省産の木綿かと推測しました」

と信一郎が答え、木綿を持ち込んだ二人の顔には、思いがけないことを聞かされたという表情があった。

「おまえ様方、どちらからお見えになりました」

「下総鬼怒川《しもうさきぬがわ》のほとり、結城《ゆうき》の古物買いの静造《せいぞう》と倅《せがれ》の鎌吉《かまきち》でごぜえます」

「結城紬の里からお見えになりましたか。あの界隈に唐人綿が流れておりますとは知りませんでしたよ、静造さん」

「わしも聞いたことがねえ」

と静造が応じた。

「お店に入ってこられたとき、大番頭、一番番頭と名指しなされましたな」

「へえ」

「事情をお聞かせ願いますか」

静造の態度や表情には予想したのと成行きが違うというような戸惑いがあった。

「この木綿をどれほどお持ちにございますな」

光蔵が話題を転じた。

「およそ六、七百貫」

えらく雑駁《ざっぱく》な答えだった。

「まとまった量の木綿ですな」

「買うては貰《もら》えませぬので」

「話次第では買いましょう」

静造の顔に安堵《あんど》の表情が漂った。倅のほうはこのやり取りより、大黒屋の商いの規模の大きさに驚いた風で黙り込んだままだ。

「古物買いと申されたが、どのような事情で木綿六、七百貫をお持ちですな」

と再び光蔵が話を戻した。

「へえ、おらの店に初めて訪れた客が木綿を言い値でいいから買うてくれと言ったのが始まりでございましてな」

「いつのことですね」

「先月の満月のころかねえ」

静造の店に初めてきた客は三人組で、船に木綿を積んでいるので見てほしいと願ったという。

「うちは古物買いで木綿なんぞ扱ったことがねえだ」

との静造の返答に、

「真岡に木綿を持っていった帰りだ。残り綿ゆえ言い値でいい」

と客が言った。

静造は言い値という言葉に惹《ひ》かれて、鬼怒川の岸辺に舫《もや》われているという船の荷を見にいった。するとたしかに俵物で船一杯の木綿が積まれていた。

「いくらで買い求めになりました」

と光蔵が質《ただ》し、

「それは商い人同士の約束でいえねえだ」

と静造が答えた。

「木綿をなぜ江戸に、しかも富沢町の大黒屋に持ち込まれましたな」

「その客がいうにはよ、江戸富沢町の大黒屋なら買値の三倍や四倍の値で買う、荷駄の背にして江戸に運び込むだけで何倍にもなる商売はそうねえというでね、畑違いの木綿を買ってしまっただ。大番頭さん、買うてくれぬか」

と静造は返答を急がせた。

「荷はどこにございますな」

「馬喰町《ばくろちょう》の旅籠《はたご》だ」

「荷が確かなら買いましょう」

と光蔵が応じて、静造と鎌吉親子がほっとした顔を見せた。

光蔵は二番番頭の参次郎に金を持たせて、二人に同道させることにした。むろんざっとした事情を参次郎に聞かせた。二番番頭が念を押した。

「うちが真岡の機屋《はたや》に送った木綿にございましょうな、量も七百貫とよく似かよっております」

「まず間違いあるまい」

結城と真岡は、鬼怒川を挟んで右岸と左岸に離れていたが、距離にして五里(約二〇キロ)もない。

浙江省産の木綿がこれだけ量が揃って、結城の古物買いで売られたのはどうみても偶然ではない。

「なにより富沢町の大黒屋ならこの木綿を買ってくれるというた客の言葉に引っかかる。ともかくうちで扱った木綿かどうか調べて下され」

「江戸にいる間、静造親子にたれぞ付けますか」

「おきみさんを張りつかせなされ。じゃが、この古物買い親子、いささか欲をかいただけで格別うちに恨みがあるとも思えません、念のためです」

「分かりました」

と外出の仕度をした参次郎が手代の華吉《かきち》を供に静造と鎌吉に従い、馬喰町の旅籠に向かった。そして、その後を担ぎ商いのおきみが追っていった。

「大番頭さん、思い当る筋は影様の本郷康秀様の筋しかございません」

「なんぞ仕掛けてこられたか」

と光蔵が応じたとき、おりんが店に姿を見せて、

「奥の間に膳《ぜん》を運んでようございますか」

「総兵衛様方、茶室から戻られたか」

「一刻《とき》(二時間)以上もお話をなされていたようで三人してどことなく上気しておられるように見受けられました」

おりんがこのような言葉を口にするのは珍しい。

「おりん、総兵衛様は桜子様に関心があってのことかな」

光蔵の声は他の奉公人には聞こえないように囁《ささや》かれた。

「旦那《だんな》様がどうかより、桜子様の表情が茶室に招かれる以前と変わったようにお見受けしました」

「ほう、桜子様のな」

これをどう考えるべきか。

大黒屋の大番頭にして鳶沢一族の三長老の一人の光蔵にとって大事な展開であった。

「大番頭さん、奥に行かれてはどうですか」

と一番番頭に勧められて光蔵は立ち上がった。

正月ということもあり、坊城麻子と桜子親子は大黒屋の奥座敷で五つ(午後八時頃)過ぎまで総兵衛、光蔵、おりんらと談笑して、笑い声が絶えない刻限を過ごした。

女二人が根岸まで戻るというので駕籠《かご》が呼ばれ、天松が提灯持《ちょうちんも》ちで坊城親子を送っていくことになった。

総兵衛自ら表戸の閉じられた店先まで麻子と桜子を見送ったが、飲み慣れぬ灘《なだ》の酒に酔ったか、体がふらついて見えた。

信一郎は根岸に向かう駕籠二丁に尾行がついたことを察していた。だが、すぐに行動に出ることはなかった。

「総兵衛様、いささか酒を過ごされましたか、足元が危のうございますよ」

とおりんの声がして、総兵衛がよろめくように通用扉から店の外へ姿を消した。

二丁の駕籠は入堀沿いに西北に向かい、武家地を抜けて柳原土手に出た。神田川を和泉橋《いずみばし》で渡り、左岸を筋違橋《すじかいばし》方面へと上がり、火除《ひよけ》広道に面した神田花房町で右に曲がると不忍池《しのばずのいけ》方面へ、この界隈《かいわい》の住人が下谷《したや》御成《おなり》街道と称する道に入っていった。さらに下谷広小路から山下を経て、下谷車坂町を下って下谷御切手町を西に曲がると東叡山寛永寺《とうえいざんかんえいじ》、俗に山内を忍《しのぶ》ケ岡《おか》と呼ぶが小高い上野の山の北側に出る。

三ノ輪に向かう町屋から最後の寺町を抜けると、急に気温が下がって物音がしなくなった。

根岸の里は別名、呉竹《くれたけ》の里とか時雨《しぐれ》が岡とか呼ばれた。だが、根岸の里も通称で金杉村の一角、御行松《おぎょうのまつ》不動あたりを差した。

この界隈、石神井《しゃくじい》用水がめぐり、鶯《うぐいす》、くいな、ひばりの生息地にして山茶花《さざんか》が咲き乱れるなど、風雅を愛《め》でる文人墨客に好まれて、江戸の豪商の別邸や隠居所が数多く点在していた。

江戸坊城家も七、八十年前に薬種問屋の寮を買い取り、

「音無屋敷」

と名付けて住み暮らしてきた。

二丁の駕籠が音無屋敷の一丁半(約一六〇メートル)も手前、御行松不動に差し掛かったとき、天松の提灯が揺れて、足が止まり、

「駕籠屋さん、お待ちを」

と願った。

四

梅の香りがほのかに漂う中、闇《やみ》に顔だけがいくつも浮かんで二丁の駕籠を囲んでいた。

「ひえっ」

と駕籠かきの先棒の猪助《いのすけ》が悲鳴を上げた。

「ふええっ」

と今度は天松の驚きとも恐怖ともつかぬ大声が上がった。

「どないしはったん」

と桜子の問う声がした。

「ひ、人の顔が通せんぼしてますので」

ひょろ松の声は怯《おび》えて、体ががたがたと震えていた。だが、これが天松の得意芸の一つとは、猪助もむろん桜子も知らなかった。

「こ、小僧さんよ、どうするよ。か、金は持っているか。通り賃を払えば許してくれるんじゃないか」

「わ、わたしは小僧ですよ、銭がかそこそ音を立てているばかりです、猪助さん」

「それじゃどうするよ、しっかりしねえか、お店の客人だろうが」

大黒屋の出入りの駕籠八の猪助が震え声でそれでも天松にいった。

闇に浮かんだ顔は男ばかりでただ者の風情《ふぜい》ではない。どれもが人一人くらいは殺したような獰猛《どうもう》で恐ろしげな顔が、

「うおおっ！」

という奇声を発しながらふわりふわりと上下左右に動いた。

「ね、根岸の名物はくいなにうぐいす、さ、山茶花の花と思うてましたが、顔のお化けがでるのか」

「ひょろ松、じょ、冗談いってる場合ではねえぜ、顔が浮かんでいるんだぜ。

そんな話、聞いたこともねえ」

と猪助が後ずさりしようと試みたが、

「兄い、うしろにもぐるりと顔が囲んでいるんだよ」

と駕籠仲間が応じた。

顔が一つ虚空《こくう》に高く飛んで口から火を吹いた。

「ふえっ」

と猪助が進退窮《きわ》まった体でその場に尻餅《しりもち》を突き、腰を抜かした。

「て、手妻にはからくりがありますよ」

とそれでも天松が手にしていた提灯を、

ぽーい

と一つの顔に向って投げた。投げられた弓張り提灯が一つの顔の真下に転がり、油がこぼれて灯心の炎が提灯の紙に燃え移り、燃え上がった。すると顔から顔へと黒布が張られて天松らを囲んでいるのが分かった。そればかりか、転がった提灯の火が黒布に燃え移った。

「ほれね、猪助さん、手妻にはタネも仕掛けもあるんですよ」

と小僧のひょろ松が得意げに言い放った。

「おのれ、やりおったな」

ぱあっ
と黒布が夜空に向って飛んで、炎が根岸の里を照らしだした。

「どこかで会った輩《やから》だぜ」

一転古着問屋の小僧はふてぶてしくも笑うと、だらりと垂らしていた両手を前方に振り上げた。すると天松の指の間に隠されていた二寸五分（約七・六センチ）の大針が虚空を音もなく飛んで、頰や顎《あご》に命中して、

「い、痛たた」

と悲鳴を上げさせた。

「こやつ、われらを油断させて騙《だま》しおったぞ」

と虚空に飛び上がった顔の主が配下にいった。

「そうだ、以前、柳原土手で会いましたね」

と天松が本郷康秀一派かと名指しした。

「まずは駕籠の女二人を掻《か》っ攫《さら》い、男どもは一人として生きて返すな」

襲撃者たちの頭分がいうと配下の者たちが無言のうちに二丁の駕籠に殺到しようとした。

「待て、待ちやがれ」

と天松が叫んだ。

「小僧、こんどは命乞《ご》いか、騙しは二度は利《き》かぬ」

頭分がそういって憤怒の笑みを浮かべたその刹那《せつな》、

「命乞いするはどちらかのう」

どこからともなく清澄《せいちょう》な声がした。

うーむ
と頭分が訝《いぶか》るように呻《うめ》き、辺りを見回した。

襲撃者たちの背後に人影が立った。

天鵞絨《ビロード》地の赤と金の縫い取りのある筒袖《つつそで》に同様な提灯型の裁《た》っ付《つ》け袴《ばかま》を穿《は》いた大黒屋の十代目総兵衛が、腰に鳶沢一族の頭領を示す三池典太光世《みいけでんたみつよ》を差して立っていた。

「総兵衛か」

「いかにも総兵衛にございます」

と若い声が応じた。

虚空に飛ばされていた黒布が風に流されて地面に落ち、火が消えた。すると、ほのかな明かりが新たに四方に灯《とも》された。それを確かめた総兵衛が、

「駕籠の女性《にょしょう》は大黒屋の大事なお方、悪さは許しませぬ」

と爽《さわ》やかに応じる声に、

「総兵衛様、酒《ささ》にお酔いになったんと違いますのん」

と桜子の嬉《うれ》しそうな声が駕籠から問うた。

「桜子様、しばらく駕籠の中でじいっとしておられよ」

その問いには答えず総兵衛が駕籠に向って願った。すると家斉の御側衆《おそばしゅう》本郷康秀に率いられると推測される襲撃者たちの頭分もまた次の手を出した。

「唐沢兵衛、唐沢小太郎、存分に卜伝《ぼくでん》一流の腕前を見せよ。手柄次第でそなたらの値が決まる」

と命じる声に御行松不動の背後から二人の武芸者が忍び出た。

親子か。一人は五尺（約一五二センチ）そこそこの小柄の老人でもう一人は、

六尺二、三寸（約一九〇センチ）はありそうな偉丈夫だった。

「大黒屋総兵衛、そなたの命、貰《もら》い受けた」

と小柄な老人が宣告して、二尺一寸（約六四センチ）余の刀を抜くと、

「小太郎、町人と思うて甘くみるでない。古着問屋大黒屋は表の貌《かお》じゃでな」

と倅《せがれ》に注意した。

長い顎《あご》が反り返った容貌魁偉《ようぼうかいい》の小太郎は、無言で刃渡り三尺（約九一センチ）はありそうな豪剣を抜いて、虚空に立てた。

父親のほうは正眼の構えだ。

親子剣客に対して、総兵衛の葵《あおい》典太一剣は未《ま》だ鞘《さや》の中だった。

間合は二間半（約四・五メートル）。

「おおおっ」

と唐沢兵衛が気合を発し、

「おりゃ」

と受けた小太郎が、
ずんずんずん

と間合を詰めてきた。

「総兵衛勝頼様、祖伝夢想流、いささかなりとも会得《えとく》したや否《いな》や、ご覧あれ」

と闇に向って告げた勝臣が葵典太光世を抜くと右手一本に保持して顔の前に立てた。

そうしておいて地面を動くとも動かずとも表現したい足の進め方で大きな円を描き始めた。その動作はまるで親子剣客がそこにいないかのような傍若無人なものだった。

唐沢兵衛と小太郎が総兵衛の前方に立ち塞《ふさ》がり、左右から詰めた。だが、能舞台で能でも舞うような仕草の総兵衛は、

「われ関知せず」

の表情で円を描き続けた。

「くそっ、思い知らせてくれん」

「小太郎、この者の手に乗るでない」

と父親の兵衛が注意したが、

「父者、何事かあらん」

と小太郎がさらに、
ずんずん
と歩を進めた。そして、長大な剣の間合に総兵衛勝臣を捉《とら》えたと確信したか、
両手に摑《つか》んだ豪剣を振り落とした。腰が据わった上段からの斬《き》り落としに刃が、
びゅん
と鳴って緩やかな弧を描きつつ間合の中に入り込んできた総兵衛の左肩を存分に斬り下げたと思われた。その瞬間、
そより
と春の夜風が根岸の里に吹き抜けて刃を躱《かわ》した。いや、躱したというのではない。刃の斬り落としに総兵衛の体が吹かれたかに見えて遠のき、ために寸毫《すんごう》刃が届かなかった。空を切った豪剣に、
（しまった）
と長い顎がぐるりと刃を避けた総兵衛に向けられ、斬り落とされた刃が手首の捻《ひね》りで迅速にも反転し、総兵衛の逃げゆく影を追った。
次の瞬間、唐沢兵衛の正眼の剣が総兵衛の行く手を塞いで、喉元《のどもと》に伸びてき

た。

（父者、やったぞ）

小太郎は思わず叫ぼうとしたが、舞扇のように片手に翳《かざ》された葵典太が、
ふわり
と喉元に迫る兵衛の剣を柔らかく受けて、流した。

（おのれ、逃がすものか）

兵衛が根岸の里を能舞台に変えてすり足で動き回る総兵衛の前にさらに立ち塞がった。そして、総兵衛の背後に偉丈夫の小太郎が迫った。

「総兵衛様」

と駕籠《かご》の垂れの間から戦いを覗《のぞ》いていた桜子が思わず悲鳴を洩《も》らした。

総兵衛は慌《あわ》てず、その口から異郷の歌声とも思える旋律が流れ出て、前後に親子剣客を従えつつ、さらに巨大な弧を描き続けようとした
だが、このとき前後から間合の中にしっかりと総兵衛を捉えた親子剣客は止《とど》めの一撃を同時に行使した。

同時に二つの刃風が襲いきた。

その瞬間、大きな弧をなぞっていた総兵衛の体がゆったりと鋭角に体の向きを変え、翳されていた葵典太がゆったりと左右に振られた。

「うむ」

と唐沢兵衛が訝《いぶか》しげな声を上げたとき、兵衛は冷たい感触を胴に覚え、小太郎は首筋に舞扇の動きにも見えた刃を見舞われて、親子剣客の動きが止まった。

竦《すく》んだ二体の間に動きの余韻を残すように総兵衛が静かに抜けた。そして、二人の対戦者を背後において立ち止まった。

その瞬間、根岸の里に流れる時が停止した。

どれほど夜は動きを止めていたか、
どさり
と親子剣客がその場にゆったりと崩れ落ちて、再び時が動き出した。

「主《あるじ》どのに申されよ。己の本分を務めなくば、身を滅ぼすことになろうとな」

総兵衛の声が響いて、襲撃者の一団が天松に針を見舞われた仲間と剣客親子の骸《むくろ》を抱えて、根岸の御行松不動から姿を消した。

「猪助さん、駕籠を音無屋敷に」

と天松の声が命じて、二丁の駕籠が再び進み始めた。

「総兵衛様」

と桜子の呼びかけに、

「迷惑をかけましたな、桜子様」

と応ずる声が駕籠の背後から追ってきた。

総兵衛は血ぶりをした典太を懐紙で拭《ぬぐ》い、鞘に納めた。

新たな影が姿を見せた。

信一郎ら鳶沢一族の面々だ。

「後見、わが祖伝夢想流、いかに」

「初の披露にしてはなかなかの動きかと」

「師匠、ほっとした」

「いえ、六代目が工夫を重ねた祖伝夢想流の緩やかな動きをようも短い間に会得なされたもので。信一郎、感服致しました」

「拙《つたな》いながらも舞い終えたのは師匠の指導がよいからよ」

ふっふっふ、と笑った信一郎が、

「闇祈禱《やみきとう》が消えたと思うたら、どなたかが大黒屋の出入りを見張っておいでで
したな」
と言い、
「またぞろ影様が策略を巡らしておられます。参次郎、馬喰町の報告を」
と二番番頭に命じた。
総兵衛には信一郎より富沢町から根岸への道々、真岡に送られた筈《はず》の木綿が
結城の古物買いの手で大黒屋に持ち込まれ、買い取りを願われたことが報告さ
れていた。
この古着買い親子と一緒に馬喰町の旅籠《はたご》までいき、品物の木綿を確かめたの
は二番番頭の参次郎と手代の華吉だ。
「総兵衛様、大黒丸の荷の浙江省の木綿に間違いございませんし、真岡の機屋《はたや》
の下野屋強右衛門《しもつけやすねえもん》方に送ったうちの品の七百貫そのままにございます」
総兵衛はただ頷《うなず》いた。
「二番番頭さん、古着買いの静造さんと鎌吉親子から言い値で買い取りまし
た」

「それでよい」

と信一郎が答え、

「総兵衛様、古着買いの親子はこの一件に深く関わっているとは思いませんが、明日には結城に戻ると申しております」

と参次郎がこの後の処置を総兵衛に訊《き》いた。

「後見、二番番頭さんのいうとおりその親子が関わっているとも思えぬ。とは申せ、このまま放置してよいものか、なんとなく胸騒ぎがする」

「総兵衛様、無駄は承知で親子を結城まで見張らせましょう。荷駄には坊主の配下の添吉爺《じい》が従っておりました」

と信一郎が総兵衛の懸念《けねん》に賛成し、

「参次郎、行きがかりです。そなたが頭分で華吉、小僧の平五郎の二人を連れて、静造、鎌吉親子に結城まで密《ひそ》かに従いながら、添吉爺の行方を確かめて下され」

と命じた。

添吉爺は鳶沢一族の者ではないが、長年、荷運びとして大黒屋に奉公してきた忠義者だ。

参次郎が頷き、その場から早々に消えた。大黒屋に戻り、旅仕度のあと、華吉と平五郎を連れて真岡に走るのだ。

御行松不動に天松に先導されるように空駕籠二丁が戻ってきた。

「ご苦労でしたな」

と信一郎が猪助らを労《ねぎら》い、

「猪助さんや、今晩見聞きしたことはどうか内緒にな」

大黒屋の一番番頭が出入りの駕籠かきに願い、その場で過分な酒代を渡した。

「一番番頭さん、大黒屋に出入りの者の心得は承知しておりますって。見ざる聞かざる言わざるにございましょ。ふだんからよくしてもらっております。酒代なんて」

「まあ、そういわずに夜遅くまで働いてもらったんですよ、長屋に戻って口直しをして下さいな」

と握らせると、

「へえ、ありがとうございます」

と応じた猪助が、

「どうせ富沢町までの空駕籠にございますよ。総兵衛様と一番番頭さんが乗って下さいな」

と願った。

「駕籠ですか、乗せてもらいましょう。後見もお乗りなさい」

と総兵衛が命じて、駕籠の人になった。

総兵衛の駕籠の側《そば》には天松が従った。

「総兵衛様」

「どうした、天松」

「言ってようございますか」

「言ってよいかとはなんのことです」

「いえ、桜子様が総兵衛様にくれぐれも宜《よろ》しくお伝え下さいと申されましたよ」

「今晩は怖い目に遭いなされましたからな」

「だから、総兵衛様に感謝されておられるんだ、きっと」

という天松の問いには総兵衛から答えは戻ってこなかった。

駕籠の中に桜子が身に着けていた匂《にお》い袋の香りが漂っていて、総兵衛は桜子との出会いを己の中にどう位置付ければよいか考えていた。


総兵衛ら一行が富沢町の大黒屋に戻りついたとき、深夜九つ（午前零時頃）に近い刻限だった。すでに参次郎らは真岡に出立していた。

長い一日がようやく終わったかに思えたが、大黒屋には待ち人がいて、大番頭の光蔵が帳面をつける傍らの火鉢にしがみつき、こくりこくりと眠りこけていた。その手には食いかけの握り飯があって、食べているうちに眠り込んだと知れた。

店先に異臭を放っているのは湯島天神の床下を塒《ねぐら》にした家なし子のちゅう吉だった。湯島天神下のかげま茶屋花伊勢を見張るように天松に命じられていた。

「ちゅう吉、居眠りして御用が勤まるか」

と天松に一喝されたちゅう吉が寝ぼけ眼を開いて、

「ああ、ひょろ松さんだ」

と言った。

第五章　古着大市

一

「それにしても臭いぞ、ようも大番頭さんは平気でいられるな」

と帳場格子《ごうし》の中で帳面に筆で書きこんでいる光蔵を見た天松が、

「あれ」

と鼻の穴に覗《のぞ》いた白いものに目を止めた。ふうっ、と息を一つ吐いた光蔵が、

「ちり紙を鼻の穴に突っ込んでございます。なんとか我慢をしようとしましたがな、ちゅう吉さんの体が火鉢の火であったまるにつれてなんとも香ばしい臭《にお》いが漂いまして、息が苦しくなってしまった」

とちゅう吉を見ながら告白した。

「湯島天神の床下暮らしでは致し方ございません、大番頭さん」

と苦笑いで応じた信一郎が、

「ちゅう吉さん、なんぞ湯島でございましたかな」

と問うた。

ちゅう吉が大黒屋の面々を見回し、

「おいらの兄きはひょろ松さんだ。一番番頭さんから確かに銭は頂戴《ちょうだい》したがよ、ひょろ松さんに報告するのが筋ってもんだ」

と言い放った。

「ちゅう吉さん、いかにも私が筋を間違えました。ひょろ松に、いえ小僧の天松兄きに報告して下さいな」

と願った。

「一番番頭さん、ちゅう吉さんに私も咎《とが》められ、かくの如《ごと》くできるだけ息をしないようにして、ちゅう吉さんのお守りをしておりましたのさ」

と光蔵が笑った。信一郎が天松に、

「兄い、お願いしましょうか」

と改めて願い、願われた天松がせいぜい鷹揚《おうよう》に頷《うなず》き返し、

「ちゅう吉、ご苦労でしたね、聞きましょうか」

とちゅう吉に言ったものだ。

「そうこなくっちゃ、世の中なんでも筋を通さないと厄介が生ずるからよ。ひょろ松の兄い、かげまの歌児《うたじ》がまた花伊勢に呼ばれたんだよ」

「かげま茶屋に中村歌児を呼んだのは先夜のお武家ですね」

「ああ、いつもの立派な供ぞろいの侍だ」

「まだいますか」

「いや、一刻《とき》（二時間）余りで帰ったぜ、侍も歌児もよ」

「なんだ、ちゅう吉。あのお武家がかげまの歌児を買いに来たって報告にきただけか」

と不満そうに天松がちゅう吉に質《ただ》した。

「ああ、ひょろ松の兄いがいったろ。あいつが歌児を呼ぶときは知らせろって」

「帰ったあとではどうしようもないぞ、仕方がないな」

「ふうん」

とちゅう吉が鼻を鳴らし、

「仕方ないか」

と天松の言葉を繰り返し、

「だけどよ、あいつの子分の用人が花伊勢に残ったんだよ」

「用人の鶴間《つるま》元兵衛が残ったって、それを早くいえ。あいつもかげまが好きだったのかね。櫓下《やぐらした》に馴染《なじみ》の飯盛りがいたんじゃないか」

と天松がちゅう吉相手に大人ぶって応じた。

「そうじゃねえよ。あいつは半刻余り花伊勢に残ってよ、女将《おかみ》さんとあれこれと親密に話し込んで駕籠《かご》を呼んで帰ったんだよ」

「用人も帰ったって」

「ああ」

「ちゅう吉、用人も帰ったんだと」

「おれ一人だもの、仕方ねえだろ」

とちゅう吉が口を尖《とが》らして天松に抗弁し、

「でもよ、用人が花伊勢から姿を消したあとさ、女将さんが花伊勢の若い女衆《おなごし》のおふうさんを連れて玄関に来てよ、出入りの駕籠を呼んだんだよ。おふうさんってのはね、ぽっちゃりと愛らしい女衆でさ、二十歳の頃合いでよ、白い肌の娘なんだよ。ちょうど脂《あぶら》が乗りきったところだね」

「ちゅう吉、脂が乗りきっただと、餓鬼がそんなこと分かるか」

「あの道ばかりは齢《とし》じゃねえ、分からねえ奴《やつ》は死ぬまで野暮のままおだぶつだ。天松兄いもそうならないこったな。教えてほしきゃ、このちゅう吉が男と女の道を教えてやってもいいぜ」

「知った風な口を利《き》くんじゃない、ちゅう吉。それよりかげま茶屋の女中はどうなった」

天松の口調もいささか苛立《いらだ》ってきた。

「ひょろ松兄いはこらえ性がねえな、もう少し大番頭さんのようにどっしりと構えられないかねえ」

と不満そうにつぶやき、

「女将さんがさ、おふう、鶴間様はうちの金蔓《かねづる》の一つだよ、おまえも用人さんに気に入られたら、妾《めかけ》の女主《おんなあるじ》になれる話だよ。鶴間様を虜《とりこ》にするくらいしっかりと今晩尽くしなって、駕籠に乗せてさ、どこかに送り出したんだよ。花伊勢の女将さんにあの用人侍、小判をだいぶ払ったね、間違いねえや」

「なに、用人め、櫓下の女郎屋だけでは我慢ができないで花伊勢の女中に目をつけたか」

と天松が言い、ちょっと得意そうなちゅう吉を見た。

「ひょろ松の兄き、なにかまだ不満か」

「素人《しろうと》のおまえの見張りだ、そんなものか」

と天松がちゅう吉の見張りを断じた。

ふうん
と鼻を鳴らしたちゅう吉が、

「おりゃ、用人がおふうさんを待っていたところを知っているぜ」

「用人は雉子橋《きじばし》北側の小川町のお屋敷に戻らなかったのか」

「それが違うんだな」

「ほう、どこに待ってやがった」

「兄い、おれがよ、おふうさんの駕籠をつけて行ったと思いねえ。訪ねた先は神田川の河口あたりだ」

「神田川の河口だと、そこに花伊勢から消えた用人が乗った屋根船が舫《もや》われていたか」

「そうじゃねえよ。あいつ、小洒落《こじゃれ》た家を構えてやがるのさ」

天松とちゅう吉の会話を耳にしていた信一郎と光蔵が顔を見合わせた。

「なんだって！　鶴間元兵衛の隠れ家をちゅう吉、おまえが突き止めたって」

「鶴間だかなんだか知らないがさ。あいつがおふうを待っていてさ、いそいそして迎えたんだよ。あの様子だと二人して、あの家に泊まりだね」

かげま茶屋に呼ばれるかげまには危険が付きまとった。そこでちゅう吉はかげまが危ない目に遭わないように密《ひそ》かに見張る仕事で身を立てていた。その見張り賃がかげまを抱える子供屋からなにがしか支払われ、幼い頃からその銭で生きぬいてきたちゅう吉が今夜の首尾をようやく話し終えた。

「出かしたぞ、ちゅう吉」

とようやく褒めた天松が、

「総兵衛様、大番頭さん、一番番頭さん、鶴間用人の隠れ家をちゅう吉が突き止めたのは今後なにかと役に立とうかと思えます」

と総兵衛らに向って復命した。

「兄いがようやく機嫌を直したよ」

ほっとした表情のちゅう吉が、

「その家にはよ、敷地の中に蔵があるんだよ、おれ、天水桶《てんすいおけ》に乗って覗き込んだから分かるのさ。この辺が潮時かとよ、おれは大黒屋にご注進と考えて天水桶を下りかけたとそのときよ、おれが知っている牢屋《ろうや》同心が得体の知れないやくざ者三人を従えて蔵に入っていったんだ」

「牢屋同心ですと」

と信一郎が驚きの声を上げて、

「ちゅう吉さん、その者の名を承知ですか」

と尋ねた。するとちゅう吉が天松の顔を、許しを乞《こ》うように見た。

「許します。一番番頭さんの問いに答えるんだ、ちゅう吉」

頷いたちゅう吉が信一郎に向って、

「あいつがさ、牢屋敷に入ったことがある連中のところを回っては小遣いを脅しとっているのをおれは昔から承知なんだよ。名はたしか沢村伝兵衛、牢仲間にはいたぶりの伝兵衛とかさ、沢伝なんて陰で呼ばれている奴なんだよ。出来心でつい悪さをして、一度だけ牢屋敷に入った人間の中には改心してちゃんと暮らしを立てている者だっているだろう。牢屋敷に入っていたなんて、世間には隠したいものな。そんなところに顔を出してはよ、なにも言わないで立っているんだと。弱みがある人間だもの、嫌でも牢屋同心のいたぶりの伝兵衛になけなしの金を渡すんだよ」

「そなたがそんな世間の隠れた闇《やみ》を承知とは、驚きました、ちゅう吉さん」

「大黒屋の一番番頭さんなんぞは世間の闇をまだ知らないようだね。この世の中はお天道様の光の下を大手振って生きていく人間ばかりじゃないんだよ。そこそこと必死でさ、過ぎ去った厄日を隠して生きている人間もいるんだよ。そんな人にとって、いたぶりの伝兵衛は疫病神《やくびょうがみ》なのさ」

湯島天神の床下に住み暮らすちゅう吉が大黒屋の主から幹部が集まる店先で

言い放った。

「そいつにはいたぶりの伝兵衛なんて異名がございましたか」

と大番頭の光蔵も驚いて言った。

「ともかくさ、あいつには気を付けたほうがいいよ。なんでも一撃無楽流って居合の名人なんだって。だからさ、牢屋敷では打役《うちやく》を務めているらしいぜ」

「打役ね。それに居合の達人ですか、用心いたしましょうかな」

ちゅう吉の話に真面目《まじめ》に頷いた信一郎が、

「ちゅう吉さんは、沢村伝兵衛が得体の知れないやくざ者三人を従えていたと言われましたな」

「あいつらもただ者じゃないよ。人の一人や二人殺《あや》めている面付《つらつ》きさ。一人は首筋に白い布を巻き付けていたな」

信一郎は阿呆鳥《あほうどり》の朋親のぬんちゃくで翻弄《ほんろう》され、足蹴《あしげ》りを首筋に受けて昏倒《こんとう》したやくざ者ではないかとふと思った。

「鶴間って用人の妾家《しょうか》にいたぶりに行ったのかな、それにしてもちょっと繋《つな》がりがおかしいか」

と一人前の顔でちゅう吉が呟《つぶや》き、信一郎が、

「いやはや、ちゅう吉さんの懇切丁寧なるお調べには驚きました、これはなかなかのお手柄ですよ」

「一番番頭さん、なにか役に立ちそうかね」

「立つどころではありませんぞ。立たせてみせます」

と信一郎が頷き返して、ちゅう吉が得意げに天松を見た。

天松はちゅう吉を連れて、大黒屋を出ると入堀に架かる栄橋を渡って久松町から武家地を抜けて村松町を北に向かい、両国西広小路に出た。

深夜のことだ。

日中さしもの人混みの西広小路だが、がらんとして人影一つない。蒼《あお》い月明かりが江戸の町を照らしているだけだ。

いや、この界隈《かいわい》に巣食う野良《のら》犬か、一匹の犬が通りかかって天松とちゅう吉を睨《にら》んだ。

「ひょろ松の兄き、やっぱりよ、大黒屋ってただの古着屋じゃねえってな」

と不意にちゅう吉が天松に質した。

「どうしてそんなこと聞くよ」

「そりゃ、おれだって生きていかなきゃならないからよ。兄いと知り合った日さ、一番番頭さんがおれによ、小粒と一朱銀と銭を合わせて一両もくれたろ。おれっち、床下住まいの物もらいにそんなことをするお店《たな》の番頭さんがいるものか。その上、そなたの身の立てようくらい、大黒屋が面倒を見るといったよな」

「たしかに湯島天神で一番番頭さんがそう申されたな」

「あのときからさ、大黒屋はただの古着屋じゃねえと睨んだんだ。おれにも仲間がいらあ、物もらい仲間よ。そいつらにあの銭の半分を使って、大黒屋のことならなんでもいいから噂《うわさ》を集めてこいと命じたんだよ」

「なにか分かったか」

「ああ、分かった。だがよ、おれが調べたことなんぞは大黒屋のほんの一部だろうよ。大黒屋の奉公人の天松兄いは先刻承知のことだ」

ふうん、と鼻先で唸《うな》った天松が、浅草橋で神田川を北側へと渡った。すると

ちゅう吉が、

「兄い、こっちだ」

と神田川左岸を少し上流へと案内した。

その界隈、神田川に面した浅草上平右衛門町の一角に鶴間元兵衛の隠れ家があった。

「ひょろ松の兄い、黒板塀の家に駕籠《かご》でおふうさんは乗り付けたんだよ。天水桶に上がって中を覗《のぞ》き込んでさ、蔵があるのも牢屋同心のいたぶりの伝兵衛が入って行ったのも見たんだよ」

と黒板塀の家を差して、もう一度ちゅう吉は天松に話を繰り返した。

「ちゅう吉、この家で間違いないな」

「ひょろ松の兄い、おれを信用しねえな」

「気取られたってことはないな」

「そんなことあるものか。ちゅう吉は他人様《ひとさま》の床下に巣食ってきた鼠《ねずみ》だぜ、賢い鼠は気配を感じさせないものさ」

よし、と言った天松が、

「ちゅう吉、おまえは大黒屋の表の貌《かお》と付き合うていくのが長生きのこつだ」

「だって、おれ、大黒屋の裏の貌に気付いているぜ。おれを信用して打ち明けてくれないか。おれだって、大黒屋さんが真の悪《わる》じゃねえ、悪を懲《こ》らしめる人たちだと分かっているんだからよ」

「そいつの答えはおれには言えない。この仕事の結末がつくまで待つことだ。ただし、おまえの仲間にこのことを喋《しゃべ》ってはならない」

「分っているって」

と応じたちゅう吉が両手で目と耳と口を塞《ふさ》いで見せた。

「そいつを承知のおまえは賢いと褒めておこう。見ざる聞かざる言わざるを押し通せるかどうか、そいつがちゅう吉、私とも大黒屋とも長く付き合っていくこつですよ」

「兄い、守る」

ちゅう吉が即座に言い切った。

「ちゅう吉、浅草橋際《ぎわ》に大黒屋の船が着く。船を待ってこの家に総兵衛様方を案内してくるのだ」

「ひょろ松兄いはどうするのだ」

「ちゅう吉が睨んだよりこの家は奥が深い。忍び込んでおよその様子を調べておくと総兵衛様方に申し上げるのだ」

よし、と駆け出そうとするちゅう吉に、

「最前、私が言ったことを胆《きも》に銘じてますな」

と念を押した。

「いったんおれが兄いと立てた天松さんを裏切るようなことは金輪際しないよ」

と答えたちゅう吉が闇に姿を消した。

天松は鶴間用人の隠れ家に忍び込む前に周りを歩いて下見することにした。鶴間の隠れ家は北側に出入り口を持ち、黒板塀に囲まれた敷地、およそ目見当で七、八十坪かと推測された。南側の船宿の涼風《すずかぜ》とは黒板塀一枚で仕切られているが、どうやら往来ができるのではないかと察せられた。

天松は懐《ふところ》から鉤縄《かぎなわ》を取り出した。

六代目総兵衛勝頼に仕えた駒吉《こまきち》は、綾縄《あやなわ》小僧の異名を持つほどの縄使いの名人だったそうな。そのような一族の得意芸は代々伝えられてきて、天松も駒吉が得意とした縄技を独習してきた。

天松はお仕着せの帯を解き、裏返すと黒地に変わった。再び袷《あわせ》を着込むと裾《すそ》を絡《から》げて、黒手拭《てぬぐ》いで盗人《ぬすっと》かぶりにして顔を隠した。草履を後ろ帯にしっかりと挟み込み、

「綾縄小僧二代目を継がせてもらいます」

とあの世の駒吉に断った天松は、船宿の庭から路地へと差しかけていた欅《けやき》の太枝へ鉤縄を投げると、

くいっ

と引っ張り、体重がかけられるかどうか調べた。

「よし」

との呟きを残すとするすると縄を伝い、欅の太枝へと上がっていった。

ちゅう吉は、浅草橋の船着場で猪牙舟《ちょきぶね》二艘《そう》が灯りも灯《とも》さずにすいすい神田川を上がってくるのを、石垣下の暗がりに身を溶け込ませて見ていた。

ゆったりと漕《こ》がれる一丁櫓《ろ》にしては舟の進み具合が早かった。よく見ると猪牙舟の両舷《りょうげん》から櫂《かい》が突き出されて櫓に合わせていた。ために猪牙舟の舟足が速いのだ。

一艘目の舳先《へさき》に立つのは一番番頭の信一郎と思えたが、なりが変わっていた。古着問屋の番頭のなりではなく、黒衣の忍び装束の腰に刀が落とし込まれていた。同乗しているのは黒衣の五、六人だ。そして、後ろの猪牙舟にも同じ数の人間が乗っていて手に手に得物を持っていた。

その瞬間、ちゅう吉の五体にぞくりとした興奮が走った。

半丁（約五〇メートル）と近づいたとき、石垣の暗がりに身を潜ませていたちゅう吉は立ち上がり、大きく手を振った。

すいっ

と近づいた猪牙舟から舫《もや》い綱が投げられて、ちゅう吉が無言で受け取った。

信一郎が軽々と猪牙舟の舳先から船着場の床に飛び上がり、

「ちゅう吉さんが案内か」

と尋ねた。

「ああ、いけなかったか、一番番頭さん。おれはよ、今晩見聞きすることは天松兄いからこうしなって、聞かされているぜ」

とちょろ松が両手で目を塞ぎ、耳を塞ぎ、口を閉じた。

「ちゅう吉さん、大黒屋とともに生き死にするという覚悟がおありか」

「一番番頭さん、言うには及ばねえ。他人様《ひとさま》の床下で物心ついたときから独り暮らしのちゅう吉だが、だれが味方か間違えたことはないよ。それにさ、未《ま》だ仲間を裏切ったことはないよ」

「分かった。そなたの処遇はあとで考える」

と答えた信一郎が、

「案内を願おう」

とちゅう吉に言った。

「合点だ」

とちゅう吉が船着場から河岸《かし》道に石段を走り上がった。

大黒屋の面々も猪牙舟に一人ずつ舟番を残して、総兵衛以下十人ほどがちゅう吉の道案内で浅草上平右衛門町の鶴間用人の隠れ家に向って走った。

そのとき、天松は新芽が生ずるにはあと二月ほどかかりそうな丸裸の欅の太枝の上で蔵の中で行われている博奕《ばくち》の気配に感づいて耳を傾けていた。

なんと家斉《いえなり》の御側衆《おそばしゅう》本郷丹後守《たんごのかみ》康秀の用人鶴間元兵衛は江戸府内に賭場《とば》を設けて、客を遊ばせていた。

賭場の客は、船宿涼風の常連のようで涼風から黒板塀の戸口を抜けて鶴間の隠れ家の蔵へと案内されて遊んでいた。そして、また帰るときは涼風に戻り、船宿の船着場から舟に乗って姿を消す仕組みのようだった。

船宿は元来客の出入りがあっても不思議ではなく、船宿専用の船着場からならばどのような刻限でも出入りできた。

天松は欅の枝の上を伝い、蔵の屋根に上った。

天窓が開いてもうもうたる煙が立ち昇っていた。

煙草《たばこ》の煙だ。

押し殺した壺振《つぼふ》りの声とざわめきから察して賭場の客が二十人ほどはいそうな雰囲気だった。煙を透かすと客は大店《おおだな》の主《あるじ》とか坊主《ぼうず》とか、何人かは武家も混じり、上客と知れた。

天松は、おふうと鶴間元兵衛のいる隠れ家を見た。

こちらはひっそりとして人の気配があるのかないのか、窺《うかが》い知れなかった。

ちゅう吉が総兵衛らを案内してきた気配を感じた天松は蔵の屋根から身軽に欅の枝にぶら下がり、片手で交互に枝の節へと動かしながら移動して、塀の外へと音もなく飛び下りた。

すると鳶沢一族の面々が路地の一角にへばり付くように待機していた。

ちゅう吉が無言で手を振り、天松を呼び寄せた。その姿は一端《いっぱし》の鳶沢一族の密偵のようだと、天松は心中でにやりと笑った。

二

天松から報告を受けた信一郎は、即座に押し込むことを諦《あきら》めた。じっくりとこの鶴間元兵衛用人の隠れ家を見張り、どのような使われ方をしているか見極めてからでも押し入るのは遅くないと判断したのだ。

隠れ家の敷地の中にある土蔵の賭場、さらに神田川に面して船が自由に付けられる船宿、二つ合わせただけで三百余坪の敷地に建物が点在していた。大身旗本とはいえ、その用人風情《ふぜい》でかようにも大規模な算段ができるわけもない。家斉の御側衆本郷康秀本人が嚙《か》んでいるのでなければできない相談だった。また賭場の上がりが康秀の懐に入っているのも間違いなかった。

「三番番頭さん、この家を見張る場所がいりますよ」

「明日にも手配します」

と雄三郎が受けた。

「今晩は九輔ら何人かを残して引き揚げます」

と信一郎が決断したとき、鶴間用人の隠れ家の門内に人の気配がした。

賭場の客は船宿からしか出入りしない。

だれか、と信一郎らが見ていると先ごろ富岡八幡宮で無謀にも大黒屋主従に強請《ゆすり》をかけようとした三人のやくざ者だった。そのうちの一人の首には白い布が巻いてあり、阿呆鳥《あほうどり》の朋親に足蹴《あしげ》りされた打撲の傷に塗り薬が塗られているのか、薬の臭《にお》いが闇《やみ》に漂った。

信一郎が無言裡《むごんり》に一族の者に指図した。

石屋の兼松らが鶴間用人の隠れ家から上平右衛門町の路地に出たところで、迷い犬の権太が言いだした。

「石屋の兄い、おれにも盆茣蓙《ぼんござ》の前に座らせてくれねえかね。ど素人《しろうと》相手だ、いくらでも稼いでみせるぜ」

「馬鹿《ばか》野郎、生半可に丁半などに手を出す旦那《だんな》方だからこそ、胴元の稼ぎになるんじゃねえか。おれっちが遠島の沙汰《さた》が下りた咎人《とがにん》だということを忘れるんじゃねえ」

と兄貴分の兼松に叱《しか》られた迷い犬が、

「それにしても牢屋同心の沢村の旦那、あちらこちらと顔が広いな」

「沢村伝兵衛様の腕を高く買われたどなたかが後ろに控えておられるんだ」

「鶴間って用人か」

「あれは使い走りだ」

「えっ、あの侍が使い走りだと。ということはおれっちはなんだい」

「沢村様にたかる小蠅《こばえ》だな」

「小蠅か、これで金になるかねえ」

「おれっちには沢村様に牢屋敷から出してもらった借りがある。こいつをまず返してから、銭を摑《つか》む算段って寸法だ。迷い犬、ものには順というものがあらあ」

「牢役人なんぞに義理を立てることもあるめえ」

「沢村の旦那はもはや牢役人ではねえ。南町奉行所の同心に鞍替《くらが》え出世だ」

「だってよ、沢村様は使い走りの用人の手下だろ、そのまた手下の小蠅がおれたちだ。敵は富沢町の大黒屋と知れているんだ。なんぞ知恵を絞ってよ、いきなり大黒屋の銭箱に手を突っ込んで、上方辺りに高飛びしねえか。どうだ、薄刃」

と迷い犬が仲間に同意を求めた。

「まさか大黒屋の主が奇妙な用心棒を連れているなんて考えもしなかった。油断をしてやられた。このままでは薄刃の紋三郎の腹の虫が収まらねえ。兄い、大黒屋に一泡吹かせて、銭をふんだくる知恵はねえか」

「そうよな」

と路地の出口で腕組みした石屋の兼松の視界にふわりと人影が飛び下りてき

た。

塀の上を走ってきた天松だった。

「なんだ、てめえは」

と迷い犬の権太が背の帯に斜めに差し込んだ脇差《わきざし》に手を回した。

「大黒屋の小僧にございましてね、名は天松にございますよ」

ひょろりと節のない竹っぽのように長身の天松の長い両手は、だらりと下げられていた。

「大黒屋の小僧だと、それがどうしてこんなところにいやがる」

と権太が喚《わめ》いた。

「迷い犬の権太さん、大きな声を張り上げていいのですか。島流しの船を待つ身が江戸の町中を夜中とはいえ、ふらついているのが世間に知れていいんでございますか」

「大黒屋の小僧がこれだ、古着問屋はただ者《もん》じゃねえな」

と兄貴分の石屋の兼松が辺りを見回した。

ふっふっふ

と天松が笑った。

「小僧、馬鹿にするんじゃねえぞ。迷い犬の権太、おめえなんぞを叩《たた》き殺すのはわけはねえ」

と後ろ帯の脇差を抜こうとした。

「止めておいたほうがいい。私一人ではないもの」

と天松が言い、石屋の兼松らが辺りを見回した。狭い路地に天松以外、人影はないように思えた。

「小僧、騙《だま》したな」

と権太が天松を振り返ったとき、天松の手から鉤縄《かぎなわ》が、
ひゅっ
と伸びてきて権太の首に絡《から》んで引き倒した。権太が地面に倒れ込んだ時にはすでに気を失っていた。

「やりやがったな」

と石屋の兼松と薄刃の紋三郎が匕首《あいくち》を構えたとき、頭上からふわりと影が二人の背に飛び下りてきて、前方へと弾みをつけて回転すると二人を地面にした

たかに叩き付けた。

兼松と紋三郎は背を強打して一瞬にして気を失った。二人の背に跨《また》がり、首を絞めながら前転してみせたのは手代の早走りの田之助と猫の九輔だ。

一瞬の早技に三人が倒された光景を暗がりから見ていたちゅう吉が、

「すげえ、天松さんたち、何者だ」

と呟《つぶや》いていた。


この日から数日後、永代橋際《ぎわ》の御船手番所の船着場に八丈島から「るにんせん」が到着し、一夜を明かした。

遠島の沙汰を受けた流人《るにん》を乗せた船はまず浦賀番所に向かい、そこで最後の身改めが行われて伊豆の下田湊《みなと》か網代《あじろ》湊に回航され、風を待って新島、三宅島、御蔵《みくら》島を順に回って流人を下ろし、最後に海上二十里（約八〇キロ）先の八丈島へと向かうことになる。

だが、この年の初めての「るにんせん」は、いきなり下田湊に立ち寄っただけで海上六十四里（約二五六キロ）を走り、鳥も通わぬ八丈島に向かうのだ。

八丈島の島流しは遠島の中でも重罪人ばかりで、船には白木綿の幟《のぼり》に、

「るにんせん」

と書いてあった。一方、漢字で、

「流人船」

と書いてある幟の船は軽罪者が乗ると区別された。この軽罪者の流人船は、万年橋の柾木《まさき》稲荷《いなり》から出るのが習わしだった。

どちらにしても沖合で待つ島の持ち船の千石船に乗せ換えられて島を目指すことになる。

永代橋の船着場を見下ろす河岸道には夜が明けきらぬうちから流罪人の家族親戚《しんせき》が集まり、柵《さく》の外から頑丈な格子牢《こうしろう》がある渡し船を見ていた。

牢屋敷から牢屋奉行の石出帯刀らに指揮された牢役人が流罪者を永代橋へと引率してきた。

「芳蔵、元気でくらせよ」

「たつ、体に気をつけてな」

と家族の間から涙交じりの声が飛び、

「おっ母、おれが悪かった、すまねえ」

「おさん、おれは生きて必ず江戸に戻ってくるぜ」

とか流人たちも叫び返した。

「お役人、うちの留三郎にこの包みを渡してくだせえ、お願い申します」

と警戒の小役人に風呂敷包を押しつけて、風呂敷に添えた役人の手に一朱を押しつけた。お目こぼし賃だった。

あちらでもこちらでも流人が通る柵の内外で泣き別れが繰り広げられていた。るにんせんが出る朝にはいつも見られる光景だった。

「八丈遠島 相州無宿の添次以下七人、島役人に渡し候《そうろう》」

と石出帯刀が八丈島の島役人に名簿を添えて八丈流しの罪人を引き渡した。

朝の光が永代橋界隈《かいわい》に差し込み、格子牢の渡し船の様子が浮かんだ。すると格子牢の中にすでに人の気配があるのが見えた。

「格子牢に人が入っておるぞ」

と船頭が驚きの声を上げ、役人らが慌《あわ》てて格子牢の船に走り寄った。

「なんだ、こやつら、胸の前に札をつけておるぞ。なんだと、江戸無宿、石屋の兼松、南町奉行根岸肥前守鎮衛《やすもり》様より八丈島流罪の沙汰《さた》あり、同江戸無宿紋三郎、同野州無宿権太だと。これはどういうことか」

と流罪人に同行する島役人が声を張り上げた。

牢屋奉行石出帯刀の顔が蒼白《そうはく》になり、引き攣《つ》った。

「牢屋奉行石出どの、これはまたどういうことにございますな」

「島役人どの、これにはいささか仔細《しさい》がございましてな、われらが昨夜の内にこの者三人を格子牢に届けておいた者にございます。ええ、こやつら、格別に凶暴極まりない奴らにございまして、お奉行の格別な指示にございました。ただ今、こやつら三人の送り状を持参しますで、しばしお待ちを」

と必死で願った石出帯刀は牢役人の一人を小伝馬町《こでんまちょう》の牢屋敷に向かわせて、三人の遠島沙汰の書類を取り寄せるとともに、南町奉行所の無役同心沢村伝兵衛にもこの旨《むね》を告げ知らせた。

この騒ぎのために格子牢の渡し船の出船が一刻《とき》（二時間）近く遅れたが、先行して格子牢の渡し船に乗せられていた兼松、紋三郎、権太を加えた十人の八丈島遠島の流人らは沖合に待つ千石船へと漕《こ》ぎ寄せられていった。

身の置きどころもない一刻を過ごした石出帯刀が牢屋敷へと帰路につくと、着流しの奉行所同心がすいっと寄ってきた。

「沢村か、胆《きも》を潰《つぶ》したぞ。あれはなんの真似《まね》か」

「石出様、おれのせいではないわ」

「では、だれがあのようなことをやったというのだ。わしの身になってみよ。この不始末、根岸様から必ずお咎めがあろう。おぬしの要求を聞いたばかりに冷や汗を掻《か》いた」

「だれがやったか、そいつははっきりしている」

と沢村が平然とした声で答えた。

「なに、あのような大胆不敵をなしてどのような益があるというのだ。いや、だれがやった、知っておるなれば教えよ」

「石出様、こいつは知らないほうがいい」

「なにっ」

と石出は元配下の打役《うちやく》同心を見た。

「どうせあいつらは使い捨てよ。近々あいつらの代わりを牢から出す」

「なにっ、またあのような無法をなすというのか」

「こんどはちょいと骨がある野郎を所望致しますぜ」

「沢村、断る。かようなことをしておると必ず上に知れる」

「石出帯刀、まだ分かってないようだな。こいつは御城の上からの命なんだよ。今日のことだって、おまえさんになんぞ譴責《けんせき》があるなんて心配しないでいいぜ。それより牢に入っている野郎から選り抜きの悪を見繕っていてくんな」

と元上役を呼び捨てにした沢村伝兵衛がすいっと石出の傍らから離れた。

沢村は霊岸島新堀沿いに足を止めた石出帯刀を置いてきぼりにして西へと進み、崩橋を渡って小網町河岸に出た。

「くそっ」

腹の虫が収まらなかった。

ああも簡単に大黒屋の手に石屋の兼松らが落ちようとは。いや、兼松らが八丈島に流されたのなど歯牙《しが》にもかける気はない。それより浅草上平右衛門町の鶴間元兵衛の家からの戻り道に三人が大黒屋の手に落ちたとしたら、鶴間の隠れ家は大黒屋がすでに承知ということではないか。

鶴間元兵衛の耳に入れておくか、しばらく沢村は思案した。

（そいつはまずい）

と思った。

折角、牢屋敷の不浄役人から無役ながら江戸町奉行所の同心に鞍替《くらが》えしたばかりだ。まだ沢村伝兵衛の地位は固まっていない。そうでなくとも同僚など、牢屋敷から南町奉行所に転じてきた沢村を胡散臭《うさんくさ》い目で見ていた。鶴間には今朝の一件は教えないことにした。

なんとしても手柄が欲しかった。

（それがなにか）

大黒屋に一泡吹かせることだ。どうしたものか、思案しながら沢村伝兵衛は、小網町河岸の鎧《よろい》の渡し場まで歩いてきていた。

南町奉行所に戻るには向こう岸に渡る必要があった。

沢村は思案しながら無意識のうちに渡し場に下りて、今しも舫《もや》い綱を解こうとしていた渡し船に飛び乗った。

「おや、沢村様にございましたな」

と声がかかった。

「だれだえ、おれの名を気安く呼ぶのは」

伝兵衛は声の主を見て驚いた。

富沢町の古着問屋大黒屋の主《あるじ》の総兵衛と大番頭の光蔵が渡し船の胴ノ間に座っていた。それに客は二人だけだ。

「初めてお目にかかりますな。大黒屋と申す古着問屋の主、総兵衛と番頭にございますよ。かねが ね沢村様にはご挨拶《あいさつ》をと考えておりました。よい折にお目にかかることができまして、なによりにございました。以後、お見知りおきを願います」

「大黒屋の主と番頭だと。おれを承知か」

「まあ、お座りになりませんか」

と大番頭が言い、沢村は致し方なく二人の前に腰を下ろした。

渡し船が日本橋川へと出ていった。

主の総兵衛は静かに座しているだけだ。

「あれは正月二日でしたかな、あなた様の手下、石屋の兼松、薄刃の紋三郎、それに迷い犬の権太なるごろつきどもが総兵衛様にちょっかいを出したことがございましてな、ええ、富岡八幡宮《はちまんぐう》の境内にございました。あの日、紋三郎さんが首筋を痛められて戻られたことがございませんでしたかな。あの折、うちの者が三人のあとを尾行しましてな、なんと牢屋敷の打役同心から南町奉行根岸様の直属同心にご出世のあなた様に辿《たど》りついたというわけにございますよ」

「それはまた丁寧なことよ」

沢村は腹の中で舌打ちした。紋三郎は首筋の打撲を転んで木の根っこに打ったと沢村に説明したのだ。

「あの折の三人、どうしておりますな」

「番頭さん、おめえ方がとくと承知じゃないかえ」

「そうでしょうかねえ」

「それに第一、あいつらはおれの手下じゃねえ。江戸町奉行所の同心にはれっきとした奉公人の小者がつくことになっているんだ。ごろつき風情《ふぜい》を手下にする必要なんぞはないんだよ」

「そうでしたか。いえね、牢屋敷から町奉行所に異例の出世をなさった沢村伝兵衛様はお奉行直属でご自由な探索をなされておられるとか、それで島流しの沙汰がおりた連中を密偵にお使いになっていたのかと思うておりました」

「ふざけたことをいうねえ。奉行所同心が島流しの流人《るにん》を手下なんぞに使えるものか」

「そうでございましょうね」

と応じた大番頭の光蔵が煙管筒《きせるづつ》から煙管を出して、煙草《たばこ》入れの刻みを火皿にゆっくりと詰めた。

「船頭さん、煙草盆をお借りしますよ」

と番頭が言い、

「大黒屋の大番頭さん、好きなようになせえ」

と船頭が答えた。煙草盆を引き寄せた光蔵が火種から火を移して旨《うま》そうに一服吸った。

「これは失礼いたしましたな。煙草吸いはかような広々とした水面に出ますとつい吸いたくなりましてな」

と言いながら、ふうっと煙を吐いた。

沢村伝兵衛は傍らに置いた刀を取り上げ、得意の座り居合を使ってみたい欲望にかられた。だが、日中、乗合客は大黒屋の主従二人とはいえ、船頭もいたし、周りに目があった。

「番頭、おれになんぞ用事か」

「いえね、偶々《たまたま》渡しに乗り合わせましたのでな、声をかけたまでにございますよ。それにしても沢村様、異例のご出世お目出とうございます」

「腹にもねえことを言うねえ」

「とんでもございませんぞ、このご時世、なんぞなければかようなご出世はまずありません。噂《うわさ》のとおりにございますかな」

「噂たあ、なんだ」

「沢村様の背後には大物が控えておられるという噂にございますよ」

「噂なんぞがあてになるものか。それより大黒屋、風聞の類《たぐい》ならおまえらの方が何十倍もあろうじゃないか」

「おや、そうでございますか。して、風聞とはどのようなもので」

「表の貌《かお》は古着問屋」

「表の貌もなにもそれがうちの仕事にございましてな」

「裏の貌は影働きの旗本とも、抜け荷商人ともいう」

「嘘《うそ》は大きいほど面白いものにございますでな」

「虚言戯れ言《そらごとざれごと》というか」

「沢村様、考えてご覧なされませ。大黒屋は幕府開闢《かいびゃく》以来二百年、古着商いの鑑札を許されて古着組合の惣代《そうだい》を務めてきたお店にございます。幕府のお達し、触れを順守してきたからこそ二百年の暖簾《のれん》を護《まも》ってこられたのでございますよ。そんな大黒屋にございます。表も裏もあるものですか」

「そう聞いておこうか」

「おや、これまで申しても信用して頂けないのでございますか」

沢村伝兵衛の顔が総兵衛に向けられた。

「おまえさん、どこから湧《わ》いてきたんだい。突然、富沢町の十代目総兵衛の座に就いたようだが、この沢村伝兵衛の目は騙《だま》せねえぜ」

「沢村様、騙すとはどういうことにございましょうか」

総兵衛の口調はあくまで爽《さわ》やかで、言い回しはどことなく雅《みやび》だった。

「さあて、おめえの出自だが、駿州鳶沢村の出と広言しているようだが、違うな。おれの目は節穴じゃねえ」

「と申されますと」

「おめえの体には異人の血が流れていよう。いいや、隠れきりしたんかもしれねえ、おれはそう睨《にら》んでいる」

「そう当て推量で申されても、旦那《だんな》様もお答えに窮しましょう。なんならば駿府の鳶沢村に御用方をお調べに出されてはいかがにございますな」

「どうせ、鳶沢村に出向いたところで村人と口裏を合わせているに相違ねえ」

「おやおや、ああお答えすればこうだと申される。どうしたものでございましようかな」

「大黒屋、いい折に会ったかもしれねえ。確かに沢村伝兵衛、元は牢屋《ろうや》同心と蔑《さげす》まれる不浄役人の極みだが、甘く見るとあとで大火傷《おおやけど》をすることになるぜ。そいつを忠告する機会があったと思えば、渡し船も乙なものよ」

と言い捨てた沢村が黒塗の刀を手に立ち上がった。

渡し船は南茅場町《みなみかやばちょう》の船着場に到着しようとしていた。

「また会うこともあろう。そのときはてめえら主従に冷汗を掻かせてみせるぜ」

「楽しみにしておりますよ」

渡し船がまだ動いているにも関わらず舳先《へさき》に向かった沢村の背に、

「本郷康秀様によろしくお伝えくださいまし」

と光蔵が言った。すると船着場に飛びかけた沢村の動きが止まり、

「本郷たあ、だれだいととぼけてもおめえらには通じねえか」

ふっふっふ
と笑う光蔵に一瞥《いちべつ》を投げた沢村伝兵衛が渡し場の床に飛んだ。

三

この日の朝、真岡《もおか》に出張っていた二番番頭の参次郎、手代の華吉に小僧の平五郎の三人が富沢町に戻ってきた。

夜旅をしてきた参次郎が奥に呼ばれ、総兵衛、光蔵、信一郎の三人の前で真岡行の首尾を報告した。

「総兵衛様、日光街道の石橋宿の木賃宿に添吉爺《じい》は荷の木綿をおろし、明日は新しい荷馬に積み替えて真岡に到着するという夜、木賃宿に押し込みが入り、荷を護ろうとした添吉爺を非情にも縊《くび》り殺し、宿の面々に余計なことを喋《しゃべ》るのではないと脅して、木綿七百貫を強奪して、逃げ去ったのでございます。木賃宿では盗人が宿に押し入ったと土地の御用聞きに届けてはおりましたが、添吉爺が殺されたことも木綿を盗んでいったことも、押し込みに報復されることを恐れて言うてはおりません。添吉爺の骸《むくろ》は、宿の者の手で石橋宿を流れる姿川の河原に埋められておりました」

と参次郎が報告すると懐紙に包んだ遺髪を三人の前に差し出して見せた。

「なにやらうちの木綿を狙《ねら》った押し込みのように思えますな」

と光蔵が呟《つぶや》いた。

「大番頭さん、まず間違いないところかと思います」

と参次郎が言い切った。

「添吉爺を殺した押し込み一味のあたりはつきますか」

光蔵が怒りに震える声で問い質《ただ》した。

「木賃宿の亭主を宥《なだ》めすかして、ようように聞き出したところによりますと、頭分は江戸言葉で三十六、七の大男にございまして、片腕に三本の入墨が入っていたそうです。こいつが添吉爺を縊り殺しております。残りの面々は野州あたりをうろつく渡世人のようで、金で雇われた様子があったといいます」

「入墨三本となると、牢《ろう》に何度も出入した男ですか。名は分かりますまいな」

「雇われた渡世人が思わず鳥越の、と呼びかけたのを宿の女衆《おなごし》が覚えておりました。ただし、鳥越が意味するところが浅草鳥越の生まれということか、ただの異名なのか分かりませんし、名も分かっておりません」

と参次郎がすまなさそうに言った。

「大黒屋の荷を狙ったのが入墨者となると、浅草上平右衛門町の鶴間用人の賭《と》場《ば》あたりに巣食っておりませぬか」

と信一郎が光蔵に問うた。

「大いにありそうですな。賭場にたれぞを客として潜り込ませましょうか」

「大番頭さん、賭場でも初めての客となると、用心しましょうな。怪しまれないために根回しするには、日にちが要ります。それより船宿の船頭か、女衆に鼻薬を嗅《か》がして喋らせたほうが早うございましょう。口入屋を通して奉公に出てる者に狙いを定めれば話してくれる者もいるでしょう」

と信一郎が言い、参次郎も頷《うなず》いた。

その手で行きますか、と光蔵も賛意を示し、

「天松が賭場に使われる土蔵の屋根に這《は》い上がったと言いましたな、こちらの線は使えぬかな」

と信一郎に質した。

総兵衛は無言のままに光蔵と信一郎の間に交わされる会話をじいっと聞いていた。いまだ江戸事情に慣れない総兵衛は、聞き役に回っていた。

「沢村伝兵衛は鶴間用人に総兵衛様と大番頭さんに鎧の渡しで待ち受けられたことを話しておりましょうな。となるとこちらの線も警戒が厳しいかもしれません。しばらく近づくのを控えたほうがようございましょうな」

と信一郎が言い、

「添吉爺の家族には二番番頭さん、そなたと坊主《ぼうず》の頭《かしら》の二人で会ってな、旅先で亡《な》くなったことを説明して十分に詫《わ》びてきて下され。それに手厚い香華料を

渡して下され」

と命じた。

富沢町では新しい試みが始まった。富沢町の古着屋全店が参加して、大規模な富沢町古着大市を始めたのだ。

この試みは総兵衛の発案で始まり、担《かつ》ぎ商いの者も露店を出し、飲み物や食べ物の屋台も呼んでお祭りのような雰囲気を造り、昼も夜も客を集めようという算段だった。

総兵衛が故国の町の祭礼の日に行われる市を思い出して考えた試みだ。

一回目の試みということで三日間を予定していたが、

「惣代の大黒屋が音頭取りだからさ、一応うちでも参加させてもらいますがね、古着のぼろ市に人が大勢集まるとも思えないよ。これは商いを知らない者の考えだね」

などと嫌々参加の古着屋が大半だった。

大黒屋では裏の空き地に露店を出して、その中に異国から入ってきた交易品の布地や娘たちが喜びそうな異国の小間物を混ぜて客を呼ぶ策を考えていた。

さらに入堀の両岸に露店を連ねるという賑《にぎ》やかな企てだった。

露天の古着市に客が集まるかどうかは、まずその日の天気次第だ。

ところがこの日は朝からすかっとした青空が広がり、入堀沿いに植えられた桜も蕾《つぼみ》が綻《ほころ》びはじめる陽気のせいか、江戸じゅうから人が集まってきた。

それには信一郎が江戸の読売屋を大黒屋に呼び集めて、なにがしかの協力金を払って仕掛けた宣伝が効いていた。その折、信一郎は、

「富沢町が元気になるということは江戸が活気づくことです。人出があれば読売屋さん方の商いのネタも転がっておりましょう。どうかこの企てに手助けして下さいな」

と頭を下げ、それに呼応した読売屋が競い合うように大々的に、

「富沢町の春の露天古着大市始まる。長崎口のあれこれ、化粧、袋物、雑貨も交じり、食べ物屋も出店」

などと書き立ててくれた。

その効果もあって散策がてらに富沢町に足を向けた女衆がまず流行の柄もの、

染、織の豊かさにわれもわれもと手を伸ばし、

「あら、桟留《サントメ》も混じっているわ」

「緞子《どんす》の端切《はぎ》れがこの値段よ」

と溜《た》め息《いき》まじりに品物を抱えこんだりした。となると男たちも黙っていられない。女房や娘に晴着、ふだん着の一枚も求めようと熱心に古着屋を回り、歩き疲れた人々は、露店の甘味屋やおでん屋や鮨屋《すしや》に立ち寄って、

「上天気の中、鮨をつまんで酒たあ、まるで花見か紅葉《もみじ》狩りを江戸府内でやるようなもんだぜ」

「いいねえ、女衆が上気して走り回る顔を見てよ、酒を飲むのも悪くねえ趣向だぜ。こりゃ、富沢町の名物市になるね」

とか言い合った。

大黒屋ではこの日のために浴衣《ゆかた》地を大量に用意していたが、あらかじめ呼び水として安い値を付けてあったので、われもわれもと客が奪い合うように買い求めて、あとから来た客が、

「大黒屋さん、薄情じゃないか。もう売り切れか」

と嫌味を言った。

「親方、うちの店先に一時《いちどき》に客が集まり過ぎてもいけませんよ。一回りしてこられた時分に新たな浴衣地を出しますからね、そのとき、一番乗りでおいでなさい」

と大番頭に囁《ささや》かれた職人が、

「そうだな、惣代《そうだい》のところばかり客を集めちゃ、他の古着屋に嫉《ねた》まれるものな。それにしても大黒屋、新ものの浴衣地、ずいぶん数を揃《そろ》えて仕入れたってことか」

「親方、うちは古着問屋にございましょう。京、大坂は言うに及ばず諸国各地から半端ものや去年売りそこなった浴衣地を仕入れて参りますからな、数が揃ってございます。ご安心なさって、この三日間、品切れはございませんよ。それに大きな声では言われませんがな、こちらの浴衣地の中には今年の新柄も混じっております、これは余所様《よそさま》には内緒に願いますよ。どれが新柄かって、それを見分けるのはお客様の目にございますよ」

「よおし、あとで戻ってくるぜ」

と客が大黒屋を出ていく背を見送る光蔵の視線に、南町奉行所無役同心の沢村伝兵衛が竈河岸《へっついがし》の親分と呼ばれる角蔵と子分を従えて立っているのが見えた。

（どうやら南町の無役同心は、竈河岸の角蔵を配下においたらしいな）

と光蔵は思いながら、

「おや、沢村様ではございませんか、もはや知らない仲ではございません。どうかお立ち寄りくださいな」

と帳場格子《こうし》の中から手招きした。

じいっと大黒屋の内外の人出や商いの様子を窺《うかが》っていた沢村が角蔵親分を従え、店に入ってきた。

光蔵は帳場格子を出ると上がり框《がまち》に座布団《ざぶとん》を敷いた。すると沢村が腰から黒塗りの刀を抜いて座布団にどっかと座った。角蔵は立ったままだ。

「なかなかの繁盛だな」

「日和《ひより》が幸いしましたよ、こういう催しは天気がよくないとうまくいきませんん」

「柳原土手の露天商売の向こうを張って富沢町が古着市とは、さぞ柳原土手の連中も恨んでいることだろうぜ」

「それがそうでもありませんでな。あちらにも声をかけて富沢町にお店を出してもらっておりますので。その代わり、秋口には柳原土手で古着市を催して、こちらから出張ろうと考えておりましてな。商いは相身互い、お互いに利がありませんと長続きしませんので。ともかくです、富沢町が繁盛するということは江戸が元気付くこと、これはお奉行所が日頃から推奨なされていることにございましょう」

「さすがに大黒屋の大番頭さんだ、考えることが違うぜ。なあ、角蔵」

といきなり振られた角蔵が慌《あわ》てて、

「大黒屋、おめえんちが古着商いということを忘れちゃこまるぜ、八品商売人には触れちゃならない決まり事があると沢村の旦那《だんな》は親切にも仰《おっしゃ》っているんだ。見ていれば新ものも異国の品も混じっているようだ。派手にやると手が後ろに回るようなこともあろうぜ」

と脅した。

「竈河岸の親分さん、富沢町では仕入れと売りは厳しく監督しておりましてな、八品商売人の定法に触れるようなことはこれっぽっちもしておりませんよ。親分が新ものと思われる品は、去年の売れ残りにございましてな、新中古としてお上では古着とお認めの品にございますよ。それに異国の布地が混じっておるのは致し方ないこと、なにしろ幕府では長崎口で仕入れた品を長崎、堺、大坂、京、そして江戸でと大量に放出なされましたからな、このような古着市に回ってくるのでございますよ」

「まあ、のらりくらりと言い訳していねえ。大黒屋の尻尾《しっぽ》を必ず、この角蔵が摑《つか》んで見せるぜ」

と角顔に赤鼻の角蔵が大黒屋の大番頭を睨《にら》んだ。

「親分さん、お手柔らかにお願い申しますよ」

と光蔵が揉《も》み手《で》で願い、

「ここじゃあ、旦那のお見回りに茶の一杯も供さないのか」

と遠まわしに袖《そで》の下を強要した。

「おお、これは気が付かぬことで。女衆さん、沢村の旦那と竈河岸の親分方にお茶を願いますよ」

と叫び、おりんが心得たように盆に茶碗《ちゃわん》を二つ載せて運んできた。

角蔵が茶碗の中を小粒でも入ってないかと覗《のぞ》き、

「茶か」

と思わず嘆息した。

「おや、お茶が所望ではございませんので、竃河岸の親分さん」

と光蔵が問い直し、その言葉を聞いた沢村が上がり框に置いた刀を摑むと、
すいっ
と立ち上がった。

「角蔵、大黒屋で茶なんぞを飲まされると、中になにが入っているか知れねえぞ。どこか余所の店に行くぜ」

と巻羽織の腰に黒塗りの刀を差し込むと表に出ていき、

「大番頭、町方の旦那方には接待の仕方があろうというもんじゃねえか、物を知らねえのに呆《あき》れたぜ」

と嫌味を残して角蔵が沢村のあとを追った。

「こちらの様子見にございますかね」

と信一郎が光蔵に訊《き》いた。

「まあそんなところですかね、真岡の木綿の一件にも沢村伝兵衛が絡《から》んでいるような気がしますよ」

「大番頭さん、私が分からないのは南町奉行の根岸鎮衛様のお役目だ。格別に御側衆の本郷康秀様と親しいとは聞いておりません。牢屋同心を南町に引き抜くなんて、奉行が承知でないとできない相談でございましょう」

「根岸様はものの分かった洒脱《しゃだつ》なお奉行様と聞いておりますがな」

「そこです、どうも私どもが知らないことがありそうな」

と信一郎が言い、

「この際です。総兵衛様に南北のお奉行様へのご挨拶《あいさつ》を願いますか」

「年が明けてからご挨拶がまだでしたな。会えば様子が分かるかもしれない」

八品商売人として町奉行所に監督される古着問屋の大黒屋では年が変わる度に南北町奉行所を訪ねて、奉行に挨拶するのが仕来《しきた》りだ。

「南と北にお伺いを立ててみますか」

と光蔵が頷《うなず》き、信一郎も同意した。

富沢町が企てた春の古着市は初日大勢の客を集めて、江戸じゅうの話題をさらった。各店も予想を上回る売り上げで、二日目と三日目が大いに期待された。

二日目の昼過ぎ、二番番頭の参次郎が光蔵と信一郎に合図をなし、台所におりますと囁いた。

二人が台所に行くと野暮ったいなりの女がおりんに供された大福にむしゃぶりついていた。

「大番頭さん、一番番頭さん、船宿涼風の女衆《おなごし》だったおたねさんにございますよ」

と参次郎が大福を食う女を紹介した。

鶴間元兵衛の隠れ家に接した浅草上平右衛門町の船宿が涼風だった。女衆といっても客を相手にする奉公人ではなく台所の下働きか飯炊《めした》きあたりだろう。

「お忙しいところご足労でしたね」

と光蔵がおたねに言い、

「わだすの承知してることはたいすてねえよ。涼風は半年も前に辞めてっからよ」

「おたねさん、片腕に三本入墨の男を承知だね、その話をまず番頭さん方にしてくれませんかね」

「おめえさんに話すたことで古着を呉《く》れるちゅうだね」

「約束のものは必ずお渡ししますよ」

ならば話すべえ、と応じたおたねが茶を、ずずずっと音を立てて啜《すす》った。

「涼風は一年もめえに後ろの家の侍の家に買い取られただよ。そんとき、鶴間って用人さんに従ってきてよ、涼風の旦那と女将《おかみ》さんを脅すたのが、大男のお相撲常って、入墨男だ。なんでも浅草鳥越の生まれでよ、江戸相撲でええせんまでいったとか、顔もでかいが体もでかくてよ、旦那も女将さんもびびっちまったただね。まあ、いつの間にか姿が見えなくなってよ、奉公人だけが残されてよ、給金半分なれば雇うてやるちゅう話だ。わだす三両二分の給金、半分にされたら在所に仕送りもできねえからよ、そのとき、辞めただよ」

「となるとお相撲常には、そんとき以来、会ってないのかね」

と光蔵がおたねに尋ねた。

「いんや、わだす、涼風より柳橋のほうにある別の船宿に飯炊きで雇われただよ。だからよ、涼風の昔の朋輩《ほうばい》とも、鶴間用人とこの用心棒のお相撲常にも時に会うだね」

「お相撲常は鶴間用人の用心棒ですか」

「いいんや、土蔵で開かれる賭場《とば》の用心棒だ。それにすても番頭さん方、あいつにゃ近づかねえほうがええだよ。土俵の上で何人も人を殺すたなんてよ、自慢すてるような奴《やつ》だ」

おたねが首を竦《すく》めた。

「船宿涼風は私も知っておりますが客筋も悪くない。なぜ鶴間用人に買い取られることになったのでしょうかね」

と信一郎が首を捻《ひね》った。

「こっちの番頭さん、そりゃさ、涼風で手慰みに開かれてた賭場の客が鶴間の旦那でさ、船宿が賭場をやっているのを町奉行所に知らせるとかどうとか脅すて、客ごと自分のものにすたっちゅう話だ。残った奉公人と顔合わせると、今の旦那はひでえちゅう愚痴ばかり聞かされるだ。賭場の客もさ、鶴間用人に脅されて大金を絞りとられたっちゅう話だ」

「お相撲常が脅し役ですな」

と光蔵が聞いた。するとおたねが首を振った。

「お相撲常の親分は、牢屋《ろうや》同心だ」

「沢村伝兵衛ですかな」

「名前なんて知らねえ。そいつがわだすの昔の主《あるじ》夫婦を脅した張本人だ」

沢村伝兵衛は鶴間の用心棒頭でその下にお相撲常がいる構図かと信一郎が想《おも》った。光蔵が信一郎を見て頷いた。

「おたねさん、お話、大変役に立ちましたよ」

「そうけえ、役に立ったか。ならば古着を呉れるだね」

「おたねさん」

と参次郎が名を呼び、

「お相撲常は三日に一度、どこぞに出かけるのではございませんか。その話を最後にしてくれませんか」

「お相撲常の相撲とりの時からよ、深川の女が贔屓《ひいき》でよ、旦那がいるにも拘《かか》わらず懇《ねんご》ろだと。この話は、朋輩だったおひささんに聞いた話だ」

「深川の女ね、名はなんといいますな」

「名なんて知らねえ。おひささんも質屋の旦那の女というだけで名も家も知るめえよ。だけど、三日に一度、律儀に猪牙《ちょき》を漕《こ》いでさ、川を渡るだよ。それも四つ（午後十時頃）の刻限にな、決まってるだよ」

とおたねが言い、光蔵が大きく頷いて、

「おたねさん、好きなものをな、綿入れだろうと袷《あわせ》だろうと振り袖《そで》だろうとお持ちなさい」

と笑いかけた。


春の古着市は初日より二日目のほうが人出も増えて、町奉行所では役人を出して警戒に当たらせることにした。

この日のうちに浅草上平右衛門町の鶴間元兵衛の隠れ家を見張る大黒屋の監視の目は、船宿涼風にも注がれることになった。

大黒屋では荷船を一艘《そう》神田川の浅草橋の下に着けたが、一見荷を満載したと見える船に潜んだ手代の九輔らが泊まり込みで見張りを続けていた。

その夜、お相撲常が自ら漕ぐ猪牙舟で大川を渡った。向かった先は、永代橋際《ぎわ》、深川佐賀町裏の質屋の囲われ者、おせんの長屋だった。

その長屋に二刻（四時間）ばかりいたお相撲常は再び猪牙舟に乗り込み、櫓《ろ》を握ってゆったりと永代橋を潜った。すると橋の下に一艘の猪牙舟がお相撲常の行く手を塞《ふさ》ぐように止まっていた。

無灯火の舳先《へさき》に長身の男が屹立《きつりつ》していた。筒袖の上下は異国の衣裳《いしょう》のように思えた。艫《とも》には船頭が座して静かに櫓を操っていた。

「だれだ、てめえは」

とお相撲常が舟を寄せながら尋ねた。すると相手の手から白い玉が飛んで、お相撲常の猪牙舟の胴ノ間に落ちてきた。

お相撲常の舳先の棹《さお》に灯《とも》された提灯《ちょうちん》の灯りが白い玉が木綿であることを浮かび上がらせて見せた。

「うむ、てめえは大黒屋か」

「いかにも大黒屋総兵衛、添吉爺《じい》の仇《かたき》を討たせてもらいます」

「しゃらくせい」

とお相撲常が足元に転がる折れ櫂《かい》を手にした。六尺六寸（約二メートル）、体重四十七貫（約一七六キロ）の手が折れ櫂を立てて持つと、さしもの永代橋の梁《はり》にも届きそうに思えた。

「てめえもあの爺《じじい》と同様に地獄に送ってやろうか」

その瞬間、ふわりと橋の欄干から太い麻縄が下りてきて、先端の輪が浅草鳥越生まれのお相撲常の太い首に掛かった。

「な、なんだ」

と叫んだとき、麻縄がピーンと張った。

二代目綾縄小僧の天松に早走りの田之助と猫の九輔の三人が欄干越しに通された麻縄のもう一方にぶら下がって大川へと身を投げたのだ。ために、

ぴゅん

とお相撲常の巨体が猪牙舟から一間半（約二・七メートル）ほど虚空《こくう》に舞い上がり、飛び下りてきた天松ら三人と睨《にら》み合った。足をばたつかせて暴れていた

お相撲常が静かになって、

だらり

と垂れた。すると股間《こかん》から小便が洩《も》れ出て、大川に流れ落ちた。

夜明け前、縊《くび》り殺されたお相撲常の巨体が浅草上平右衛門町の鶴間用人の隠れ家の欅《けやき》の大木にぶら下げられた。

四

富沢町の春の古着大市は三日目の最終日になって、近郷近在からの客が小舟で繰り出してきて、河岸《かし》道も空き地も堀も人と舟で埋まった。それに対応する出店の数は、地べたに畳一枚分の店を広げた小商いを数に入れれば千店ちかくに膨れ上がり、大いに賑《にぎ》わった。

大黒屋など富沢町を主導してきた古着問屋では、品がなくなった小売り店に惜しみなく古着を回し、女客の気を惹《ひ》くように異国からの交易品の布地や化粧品や袋物を古着の間に置いて客を呼び込んだ。

大黒屋の裏手の空き地では東西に綱を等間隔に張り、そこへジャワ更紗《サラサ》、桟《サン》留《トメ》、猩々緋《しょうじょうひ》、羅背板《ラセイタ》、緞通《だんつう》、毛氈《もうせん》、唐金巾《からカナキン》、広東縞《カントンじま》、南京縞《ナンキン》、弁柄《ベンガラ》、唐更紗、朝鮮縞など異国の色どり鮮やかな古着をまるで鯉《こい》のぼりのようにかけ渡し、それが風になびく光景はなんとも壮観で、客たちの心を躍らせた。店の者は、「お客人、押さない押さない。縞ものはたくさんあるからね、慌《あわ》てないで見て下さいよ」

「ほれほれ、そこの娘さん、天竺更紗《てんじく》がお似合いだよ。そいつをさ、半襟に誂《あつら》えてごらんよ、粋だよ。町内の若い衆が黙っちゃおかないよ」

などと煽《あお》り立てた。

ふだん古着商いはどちらかというと地味な商売で、埃《ほこり》っぽい品を黙ってひっくり返す客にじろりと上目使いに睨《にら》むくらいの駆け引きだ。

それが何千何百という人が溢《あふ》れ、だれもが血相変えて品選びをし、値引きの交渉をしていた。

大黒屋の大番頭の光蔵は店を信一郎に任せて、小僧の天松を連れて古着市の見回りに出た。

「おや、大黒屋の大番頭さん、ショバ代を集めにきなさったか」

「担《かつ》ぎ商いの徳三さんかね、富沢町の古着大市はショバなんてけち臭いことは言いませんよ。柳原土手の高床商いの人もおまえさんのような担ぎ商いも勝手に店開きしていいんですよ。精々お稼ぎなさい、品がなきゃあ、回しますよ。うちの蔵がすっからかんになるまで売り尽くしましょうぞ」

「おうおう、景気がいいね」

と会話まで弾んだ。

光蔵は富沢町の路地から路地へ、河岸道から河岸道を回って一番人混みが激しい栄橋まで戻ってきた。

昼下がりとあって、堀にも小舟がひしめき、大黒屋の船着場に店開きした露天商が小舟に相乗りしてきた遠く江戸川沿いの村から出てきたと思える百姓衆と駆け引きしていた。

「大番頭さん、私、小僧にきてから富沢町でこんなに人を見たのは初めてですよ。まるで花火の宵の両国広小路みたいだ」

ひょろ松も口をあんぐりと開いて人出を見ていた。

「橋前にあるうちの店は人混みの上に軒上が見えるばかりで、人人人の頭の波ですよ」

と光蔵も呆《あき》れ返った。そんな光景を見ながら、これで富沢町が一気に活気づく、古着商いが一息つくと安堵《あんど》した光蔵は、三日間の総売り上げは五、六千両ではすむまいと胸算用していた。

なにしろこの富沢町春の古着大市は十代目総兵衛が考え出した仕掛けだ。当初、光蔵もこれほどの盛況をみるとは予測もしなかった。

「わああっ」

と悲鳴が上がったのは大黒屋の船着場付近だ。

天松が見下ろすと、びっしりと埋まった買い物客の乗る小舟の間の水面に女が俯《うつぶ》せに浮いていた。

「大番頭さん、水死人ですよ」

と天松に知らされた光蔵は橋上から堀を見下ろして、どきっ、とした。

体付きと着物の柄に見覚えがあったからだ。

「天松、お店にこのことを知らせておくれ」

と命ずると、

「お客様方、仏様を陸に上げますでな、ゆっくりと小舟を移動させて下さいな」

と橋の上から声をかけ、水死体発見の報に慌てた客が押し合いへし合いして倒れ込まないようにわざとゆったりとした口調で話しかけた。

天松の知らせを聞いた大黒屋の荷運び頭の坊主《ぼうず》の権造らが舟で船着き場に漕ぎ寄せて、仏を人混みや小舟の数が少ない高砂橋のほうに引いていった。

光蔵は河岸道に視線を上げた。すると桜の木が植えられた河岸道に佇《たたず》んでいた南町奉行所の無役同心沢村伝兵衛と視線があった。

沢村は、にたりと片頰に不気味な笑みを浮かべて光蔵を見返した。

光蔵はただ会釈《えしゃく》を返し、人混みを搔《か》き分けて店に戻った。

「大番頭さん、騒ぎが起こったそうですね」

と三番番頭の雄三郎が尋ね、

「すごい人出ですからね、足を踏み外して堀に落ちる人がいても不思議ではございますまい」

と言ったが、光蔵が厳しい顔をして黙り込んでいるので自分の持ち場に戻った。

「大番頭さん、なんぞ不審なことがございましたか」

と光蔵に信一郎が問い質《ただ》した。そこへ天松が汗を額に浮かべて、店の中に飛び込んできた。

「一番番頭さん、天松を店座敷に」

と命じた光蔵が帳場格子《ごうし》の傍らをすり抜けて店の裏に姿を消した。

信一郎は目顔で天松に従うように命ずると店座敷に向かった。そこで光蔵は煙管《きせる》の火皿に刻みを詰めていた。その動作は一服したいというより、ざわついた気持ちを鎮《しず》めようとしてのことだと察せられた。

「天松、仏の身許《みもと》が分かりましたか」

「はい。船宿涼風にいた女衆《おなごし》のおたねさんに間違いございません。あのとき、うちが上げた棒縞の単衣《ひとえ》を首に巻き付けて、両目を剝《む》いて死んでおりました」

「うちがやった単衣で縊り殺されたのですな」

「間違いございません」

と天松が答え、ようやく事情が呑《の》み込めた信一郎が、

「大番頭さん、お相撲常の仕返しにおたねさんが狙《ねら》われましたか。それにしても素早い」

と首を捻《ひね》った。

「仏が見つかったとき、河岸道に沢村伝兵衛が独りで佇んで、こちらの様子を窺《うかが》っておりました。こっちの慌てぶりを見てみようという顔付きでね」

「ほう、無役同心どのが。それにしてもおたねさんに行きついたが素早うございますね」

「一番番頭さん、最前から考えていたんですが、いたぶりの沢伝め、前々からおたねに目を付けていたか。あるいはおたねがうちとあっちを両天秤《りょうてんびん》にかけて小遣いでもせびろうとして殺されたか」

「どちらであれ、おたねさんはとんだ災難でした。お相撲常の意趣返しに殺されたんですから」

「先に罪咎《つみとが》もない添吉爺を殺したのはお相撲常ですよ。わざわざおたねが危ないところに首を突っ込んでいくからかような目に遭うのだ、沢伝の笑いはそんなことを告げておるような気がしました」

「沢伝、なかなかしたたかですな」

「でなければ牢屋《ろうや》同心打役《うちやく》から南町奉行所の同心に鞍替《くらが》えできるものですか」

と応じた光蔵が煙管の刻みに種火を移して、一服吸うと、

「一番番頭さん、古着大市が仕舞いになるまでにまだ一刻半《ときはん》（三時間）はございましょう。これ以上騒ぎが起こらぬよう、手配を願います」

「相分かりました」

信一郎が天松を連れてそそくさと店へと戻った。

煙草《たばこ》を吸いながら考えを纏《まと》めた光蔵は、奥へとおたねの災禍を告げに立った。

その光蔵が店に戻ってきたとき、大黒屋の前を往来する古着大市の客の数が幾分少なくなっている感じがした。

坊主の権造が姿を見せて、土間に荷を造る体で腰を下ろした。光蔵は上がり框にいき、権造の荷造りを点検するかっこうをした。

「元涼風のおたね、口の中に駒札《こまふだ》一枚を咥《くわ》えさせられておりました」

「鶴間元兵衛が胴元を務める賭場《とば》の駒札ですな」

「まず間違いないかと。先方はお相撲常の報復をしたことをうちに宣告してき

たようですな」

「坊主、これ以上の騒ぎはご免です。見回りを強めてくだされよ」

「へえ」

と頷《うなず》いた権造の手は古着の菰包《こもづつ》みを瞬《また》く間に拵《こしら》えていた。

七つ（午後四時頃）前に客足がいったん引いたが七つ半（午後五時頃）過ぎの頃合いからまた客足が混んできた。どこの店も衣替えを前に売り尽くそうとして、声を嗄《か》らして、

「ほおれ、お客人、ただ同然、この三枚百五十文でどうだ。なにっ、高いですと。よおし、持ってけ泥棒。三枚で百と二十文でどうだ」

「もう一声、百かっきり」

「あこぎだね、お客さん。かけ蕎麦《そば》数杯の値でこの木綿ものの単衣を買う気か、魂消《たまげ》たね」

「魂消げついでにまけなまけな」

汗だくの駆け引きがあちらでもこちらでも展開されていた。

古着商いがこれだけの客を集めることは節季前や衣替え前にもない。それだけに客も売り手も興奮していた。

七つ半、総兵衛が最後の見回りに光蔵を連れて出かけることになった。

総兵衛のなりは古着問屋の主《あるじ》とも思えず、光線縞の小紋に春らしい若草色の羽織で髷《まげ》も結い立て、爽《さわ》やかな感じがした。

ちょうど大黒屋の前を通りかかった買い物客の女衆《おなごし》から声が上がった。

「あら、あの様子のいい若旦那《だんな》はどなた」

「おはつさん、知らないのかえ。大黒屋の十代目の総兵衛様だよ」

「えっ、まるで役者看板から抜け出てきたような色男じゃないか」

「いや、背丈は高いし、今時の役者にこれほど整った顔立ちがいるものか。十代目は千両役者だよ。なんたって、富沢町の古着大市の仕掛け人は総兵衛様ですとさ」

すると女衆の話を聞いていた男客が、

「あの若さで、この才覚ですか。富沢町の売り上げは千両箱でいくつになるんだね。いやはや肖《あやか》りたいものですよ」

と嘆息した。

総兵衛は光蔵を案内役に河岸《かし》道を千鳥橋の方向に向かうと、

「惣代《そうだい》様、大番頭さん、こたびは思いがけなく柳原土手の商い人にもお許しを頂いて、儲《もう》けさせてもらいました。お礼を申しますよ」

柳原土手を仕切る世話方栃木屋浩右衛門《とちぎやこうえもん》が礼を述べ、光蔵が初対面の柳原土手の商売人を紹介して、

「栃木屋さん、秋には柳原土手で古着大市を開きましょうよ。そのときは富沢町が大勢して押しかけますよ」

とにこやかに応対した。

千鳥橋で向こう岸に渡った主従に、すいっと歩み寄った者がいた。北町奉行所の定廻《じょうまわり》同心の鈴木主税《ちから》と「葭町《よしちょう》の親分」と慕われる小吉だ。北町の定廻同心と御用聞きは古くからの大黒屋の出入りの一人だ。

だが、総兵衛とはまだ対面していなかった。

「お初にお目にかかる。それがし、北町奉行所同心鈴木主税と申す。大黒屋とは代々の出入りでござってな、九代目は惜しいことをした。だが、こうして十

代目が誕生して、富沢町も万々歳、われらも縄張り内の商売繁盛に喜んでおる」

と爽やかな挨拶《あいさつ》を返した。

「鈴木様、ご丁寧なるご挨拶、大黒屋総兵衛、痛み入ります。お見かけどおりの若輩にございます、向後宜《よろ》しくお引回し下さい」

と総兵衛も腰を折って鈴木主税ににこやかに礼を返した。

葭町の小吉は光蔵を河岸道に引っ張っていき、

「大番頭さん、気をつけることだね。南町の無役同心が大黒屋さんを目の仇《かたき》にしているようだよ」

「沢村伝兵衛の旦那にございますね。うちでは沢村様のご機嫌に触るようなことをした覚えはないのですがな」

と小吉の注意に光蔵が首を捻った。

「最前、大黒屋さんの船着場に浮かんだ女衆の仏も、わっしらはあいつらの仕業と思うているんだがね」

「始末して下さったのは葭町の親分さんでしたか。明日にもお礼に上がります」

「大番頭さん、そんなことはどうでもいいや。牢屋同心から南町に鞍替えするなんてことは前代未聞、聞いたこともない。ということは沢伝の背後にはたれぞ大物の黒幕が控えているということですよ。もっともこんなことはとっくに大黒屋さんなれば承知のことだろうがね」

と笑った葭町の小吉親分が光蔵の耳元に何事か囁《ささや》くと、総兵衛との話を終えた旦那の鈴木主税の供ですいっと人混みに消えた。

「同心もぴんきりでしてね、鈴木主税様のように清廉《せいれん》潔白な町方もおられますし、牢屋同心から出世の無役同心のような得体の知れない役人もおられます」

と光蔵が北町奉行所定廻同心の背を見送った。

「小吉親分はなんぞ言い残されましたか」

「昨夜のことです。小伝馬町の女牢から二人の女囚が姿を消したそうです。上方から手配のあった寝首のおもんに大力のおすなって二人組だそうです」

「牢抜けですか」

「表だっては上方に送り返されたということになっているそうですが、何事か因果を含められて町に解き放たれたと牢内では噂《うわさ》されているそうです」

「なんとも厄介なことですね」

と応じた総兵衛と光蔵はさらに日が落ちかかった富沢町春の古着大市を見て回った。もはや大半の商人が用意した古着を売り尽くし、後片付けに入っていた。


総兵衛と光蔵の主従が最後に訪れたのは、大黒屋の裏手にある空き地だ。元古着屋伊勢屋半右衛門方の店と屋敷があった三百余坪は大黒屋の持ち物と変わっていたが、大黒屋ではこの地を空き地にしたまま、露天市の会場などに利用していた。こたびの古着大市でもこの空き地に露天の古着屋や食べ物屋が店を出して、最前まで大賑《おおにぎ》わいに賑わっていたが、もはや店仕舞をして人影もなかった。


総兵衛と光蔵は銀杏《いちょう》の大木の下にある稲荷《いなり》社に詣《もう》でて、

「富沢町春の古着大市」

の成功を感謝して頭を下げた。

この稲荷社にも柳沢吉保が命じた闇祈禱《やみきとう》が仕掛けられていたが、林梅香老師の手で取り除かれ、今では、

「銀杏稲荷」

として大黒屋の商売繁盛と家内安全を見守っていた。

総兵衛は、赤い鳥居の前に向かい合うお狐《きつね》様の目がぎらりと光って警告を発したことに気付いた。同時に背に殺気を感じて、ふり見た。するとそこに若い娘と大女の二人が佇《たたず》み、大女のほうは風呂敷包みを下げていた。

空き地はがらんとして四人の他に人影はなかった。この空き地の角地から四方向に路地が出ていたが、路地の出口は荷で塞《ふさ》がれているように見えた。

「お買い物にございましたかな」

と光蔵が二人に話しかけた。

だが、二人の女から返事はない。その代わりにゆっくりと総兵衛と光蔵の前に歩み寄ってきた。

「満足な品をお買い求めになったのであればよろしゅうございますがな」

若い娘と思えたほうが鼻を鳴らして、

「大黒屋総兵衛たあ、おまえさんか」

と男のような声で問うた。

「いかにも大黒屋の主にございます、寝首のおもんさん」

総兵衛が平然と答えて羽織の紐《ひも》を解いた。

「ほう、私らのことを承知とはさすがに富沢町の惣代だねえ」

と大力のおすなが言った。

「総兵衛様、思い出しましたよ。今から五、六年前お伊勢様に詣でたとき、この二人が包丁投げと大力を路上で見せて投げ銭を稼いでいるところを見物しましたことをな。あんとき、寝首のおもんさんは十五、六の無垢《むく》な娘と思うたが、小伝馬町の女牢に世話になるほど悪事を重ねてきましたかねえ」

と光蔵が呟《つぶや》いた。

「おすな、こっちの正体はばればれだよ。さっさと始末して、江戸を離れようかね」

とおもんが言い、おすなが、

「えいっ」

と風呂敷包みを虚空《こくう》に投げた。するとぱらりと包みが解けて、唐更紗など色鮮やかな古着が虚空一杯に広がった。

「大番頭さん、稲荷社の前にしゃがんでおられよ」

と命じた総兵衛が羽織を脱いで片手に持った。

寝首のおもんの口に小包丁が咥《くわ》えられ、両手に二本ずつ、計五本の小包丁が持たれていて、広場に折から差し込む残照に煌《きら》めいた。

羽織を手にした総兵衛とおもんは四、五間(七～九メートル)の距離で睨《にら》み合った。

虚空に広がった異国の布地や古着がゆっくりと地上に落ちてきて、総兵衛とおもんの視界を塞ごうとした。

総兵衛は動かない。

「ふっふっふ」

とおもんの口から含み笑いが洩《も》れて、広がった唐更紗が視界を塞いだ。

「死ね」

おもんが不動の総兵衛が立っていた場所へと右手二本の小包丁を投げ打った。

総兵衛は羽織を片手にゆっくりと弧を描きつつ、舞った。すると不思議なことに小包丁が総兵衛の左腕を掠《かす》め後ろへと飛び去った。

虚空から舞い降りてきた更紗が地上に落下したとき、再び視界が開けた。

その瞬間、おもんは総兵衛が眼前半間（約九〇センチ）に立ち塞がっているのを見た。

「くそっ」

左手の小包丁が閃《ひらめ》いて総兵衛の喉元《のどもと》を掻《か》っ切ろうとした。

ふわり

と羽織が小包丁を持った手首に絡《から》んで、奇妙な掛け声が富沢町の空き地に広がり、おもんの細い体が虚空に舞って、地面に叩《たた》き付けられた。

「やりやがったな」

大力のおすなが両手を広げて総兵衛の横手から突進してきた。

矢が弦《つる》を離れる音が響いて、一本の短矢がおすなの首筋を貫き、おすなはなにが起こったか分からぬ体でよろよろと立ち止まり、空き地を囲む家々の屋根や塀を振り見た。すると奇妙な弓を持った黒衣の男たちが沈黙したまま空き地を見下ろしていた。

「お、おまえたちは」

「知らずして地獄に行くのも可哀相《かわいそう》かな。われら、影旗本鳶沢総兵衛勝臣とその一統」

と信一郎の口から呟きが洩れて、大力のおすなが二歩三歩と総兵衛に歩み寄ろうとしたが、力尽きて崩れ落ちた。

おもんがごろごろと転がり、空き地から逃走しようとした。だが、弩《ど》から放たれた短矢が一本、二本、三本と突き立ち、おもんの細い体を地面に釘《くぎ》づけにした。

ふうっ

と光蔵が大きな息を吐いて、

「葭町の小吉親分は命の恩人にございましたな」

と総兵衛に呟き、屋根から鳶沢一族の面々が飛び下りてきて黙々とおもんとおすなの始末に入った。

信一郎が総兵衛と光蔵のもとに歩み寄り、

「女の刺客にございますか」

と呻《うめ》いた。

「一番番頭どの、戦いは始まったばかり、終ったわけではございませんぞ」

総兵衛の落ち着き払った声音が銀杏稲荷に立つ大木を圧するかのように響いた。

あとがき

新・古着屋総兵衛『百年の呪《のろ》い』の校正の前に旧古着屋総兵衛十一巻『帰還』の手直しと加筆を終えた。昨年から続いた旧作の見直しと新・古着屋総兵衛の第一巻『血に非《あら》ず』と『百年の呪い』の出版でようやく旧作十一巻と新・古着屋総兵衛の二つのシリーズが一つの物語として合体したと思った。

旧作の見直しと加筆がこれほど神経と労力を費消するものとは想像だにしなかった。旧作手直しと新シリーズ起稿の間に前立腺《ぜんりつせん》ガンの手術をしたこともあって、正直体力の衰えを感じた。

そして東日本を大地震、津波、原発事故が襲い、戦後営々と先輩諸氏が築き上げてきた経済大国を根底から突き崩していった。

われらは若い同胞に負の遺産を残すしかないのか。

さらに追い打ちがかかった。

新・古着屋総兵衛を刊行するにあたり対談の相手をして頂いた児玉清さんが

亡《な》くなられた。ぽっかりと胸の中にとてつもなく大きな洞ができたようで、どうにも力が入らない。

それでもわれらはこの日本で生きていかねばならない。

当たり前のことだが日々の暮らしを是が非でも守り抜き、復興の足掛かりをなんとか残して生涯を終えたいと思う。

新・古着屋総兵衛がどこまで続き、完結するか。こちらの余命との競争になった。

だからこそ楽しみながら書き継いでいきたいと思っている。

ご愛読のほどをお願い申し上げます。

平成二十三年七月末日　熱海にて

佐　伯　泰　英

本書は新潮文庫のために書き下ろされた。

古着屋総兵衛影始末　第一巻
死闘
佐伯泰英著

表向きは古着問屋、裏の顔は徳川の危難に立ち向かう影の旗本大黒屋総兵衛。何者かが大黒屋殲滅に動き出した。傑作時代長編第一巻。

古着屋総兵衛影始末　第二巻
異心
佐伯泰英著

江戸入りする赤穂浪士を迎え撃て——。影の命に激しく苦悩する総兵衛。柳生宗秋率いる剣客軍団が大黒屋を狙う。明鏡止水の第二巻。

古着屋総兵衛影始末　第三巻
抹殺
佐伯泰英著

総兵衛最愛の千鶴が何者かに凌辱の上惨殺された。憤怒の鬼と化した総兵衛は、ついに〈影〉との直接対決へ。怨徹骨髄の第三巻。

古着屋総兵衛影始末　第四巻
停止（ちょうじ）
佐伯泰英著

総兵衛と大番頭の笠蔵は町奉行所に捕らえられ、大黒屋は商停止となった。苛烈な拷問により衰弱していく総兵衛。絶体絶命の第四巻。

古着屋総兵衛影始末　第五巻
熱風
佐伯泰英著

大黒屋から栄吉ら小僧三人が伊勢へ抜け参りに出た。栄吉は神君拝領の鈴を持ち出したのか。鳶沢一族の危機を描く驚天動地の第五巻。

古着屋総兵衛影始末　第六巻
朱印
佐伯泰英著

武田の騎馬軍団復活という怪しい動きを摑んだ総兵衛は、全面対決を覚悟して甲府に入る。柳沢吉保の野望を打ち砕く乾坤一擲の第六巻。

佐伯泰英著

雄飛

古着屋総兵衛影始末 第七巻

大目付の息女の金沢への輿入れの道中、若年寄の差し向けた刺客軍団が一行を襲う。鳶沢一族は奮戦の末、次々傷つき倒れていく……。

佐伯泰英著

知略

古着屋総兵衛影始末 第八巻

甲賀衆を召し抱えた柳沢吉保の陰謀を阻止せんがため総兵衛は京に上る。一方、江戸ではるりが消えた。策略と謀略が交差する第八巻。

佐伯泰英著

難破

古着屋総兵衛影始末 第九巻

柳沢の手の者は南蛮の巨大海賊船を使嗾し、ついに琉球沖で、大黒丸との激しい砲撃戦が始まる。シリーズ最高潮、感慨悲慟の第九巻。

佐伯泰英著

交趾

古着屋総兵衛影始末 第十巻

大黒屋への柳沢吉保の執拗な攻撃で美雪はある決断を下す。一方、再生した大黒丸は交趾を目指す。驚愕の新展開、不撓不屈の第十巻。

佐伯泰英著

帰還

古着屋総兵衛影始末 第十一巻

薩摩との死闘を経て、勇躍江戸帰還を果たした総兵衛は、いよいよ宿敵柳沢吉保との決戦に向かう——。感涙滂沱、破邪顕正の完結編。

佐伯泰英著

血に非ず

新・古着屋総兵衛 第一巻

享和二年、九代目総兵衛は死の床にあった。後継問題に難渋する大黒屋を一人の若者が訪ね来た。満を持して放つ新シリーズ第一巻。

柴田錬三郎著
眠狂四郎無頼控（一〜六）
封建の世に、転びばてれんと武士の娘との間に生れ、不幸な運命を背負う混血児眠狂四郎。時代小説に新しいヒーローを生み出した傑作。

司馬遼太郎著
国盗り物語（一〜四）
貧しい油売りから美濃国主になった斎藤道三、天才的な知略で天下統一を計った織田信長。新時代を拓く先鋒となった英雄たちの生涯。

池波正太郎著
雲霧仁左衛門（前・後）
神出鬼没、変幻自在の怪盗・雲霧。政争渦巻く八代将軍・吉宗の時代、狙いをつけた金蔵をめざして、西へ東へ盗賊一味の影が走る。

藤沢周平著
消えた女
―彫師伊之助捕物覚え―
親分の娘おようの行方をさぐる元岡っ引の前で次々と起る怪事件。その裏には材木商と役人の黒いつながりが……。シリーズ第一作。

隆慶一郎著
影武者徳川家康（上・中・下）
家康は関ヶ原で暗殺された！　余儀なく家康として生きた男と権力に憑かれた秀忠の、風魔衆、裏柳生を交えた凄絶な暗闘が始まった。

山本周五郎著
町奉行日記
一度も奉行所に出仕せずに、奇抜な方法で難事件を解決してゆく町奉行の活躍を描く表題作ほか、「寒橋」など傑作短編10編を収録する。

百《ひゃく》年《ねん》の呪《のろ》い

新・古着屋総兵衛 第二巻

新潮文庫　さ-73-13

平成二十三年十月一日発行

著者　佐《さ》伯《えき》泰《やす》英《ひで》

発行者　佐藤隆信

発行所　株式会社新潮社

郵便番号　一六二—八七一一
東京都新宿区矢来町七一
電話 編集部(〇三)三二六六—五四四〇
　　 読者係(〇三)三二六六—五一一一
http://www.shinchosha.co.jp

価格はカバーに表示してあります。

乱丁・落丁本は、ご面倒ですが小社読者係宛ご送付ください。送料小社負担にてお取替えいたします。

印刷・株式会社光邦　製本・憲専堂製本株式会社

ISBN978-4-10-138047-6 C0193

佐伯通信

2011年9月（平成23）
第6号
発行
佐伯泰英事務所
担当／新潮社

多忙な一年

熱海にて（佐伯泰英事務所提供）

今年の正月から刊行が始まった旧作『古着屋総兵衛影始末』全十一巻の手直しと書き足しの目途がようやくついた。『月刊佐伯』としての新作発表に手直しと刊行が加わり、新作を書く以上に神経と時間を使う一年になった。だが、手直しをしてみると実に直しどころの多いシリーズで「直し甲斐」のある十一巻（矛盾甚だしい表現でなんとも微妙な言い回し。その上手前味噌に自画自賛、相すみません）だった。

新潮社では決定版と謳ってくれたが、それだけの時間と労力をかけ、全く違ったシリーズに仕上がったと思っている。

文庫書下ろしはスピードが要求される。ついでにタフでなければ生き残れない（まるでハードボイルドの主人公だね）。職人作家を自称し、敢えて商品と自らの小説を呼んでいるのもそんな理由からだ。それに対してなんの不満もないが、かように手直しの機会を得てみると、やはり時間をかけた小説は嘘をつかないと反省した。

ともあれ旧作が長く読み継がれるための新作『新・古着屋総兵衛』専念体制が出来上がった。九月に第二巻の『百年の呪い』が刊行されて、第三巻から本式に『新・古着屋総兵衛』の開幕だ。なんだ、一、二巻は始まりではないのかと読者諸氏から苦情がでそうだが、旧作とのつながりを第一巻『血に非ず』と『百年の呪い』が果たす役割を負わされていたためにかような表現になった。お許しあれ。

九月はもう一冊、交代寄合伊那衆異聞『混沌』が出る。こちらは幕末もので舞台が江戸から長崎、京、ついには上海、香港と座光寺藤之助の活躍の地が野放図に広がった。

編集者の野村某氏によれば、何年後かにリニア新幹線が主人公の座光寺領山吹陣屋近くを通るらしい。野村はそうなれば本も売れるはずと皮算用したついでに、座光寺領山吹弁当の企画をどこかの駅弁屋に売り込むつもりでいる。売れるかね、本と弁当。

夏を乗り切ったあたりで十日ほど休暇を取ろうと思う。フランスを訪ねて、ただぼおっとしてこようと考えている。

「佐伯通信」第7号は、11月18日発売予定の『鎌倉河岸捕物控⑲針いっぽん』(ハルキ文庫)に入ります。

新旧合体の秘術

㈱新潮社　新潮文庫編集部
「古着屋総兵衛シリーズ」担当　佐々木勉

大黒屋矢来町支店の小僧、佐吉でございます。

佐伯先生は旧シリーズの最終巻『古着屋総兵衛影始末 第十一巻「帰還」』に新たに一章を加筆されました。「第六章　闇祈禱」がそれです。73頁分です。この加筆分と既刊の『新・古着屋総兵衛 第一巻「血に非ず」』と本巻を以て、旧シリーズと新シリーズが一体の物語に繋がってしまうという魔法のような術なのでございます。

旧シリーズの仇敵は、柳沢吉保でした。将軍綱吉の寵愛を後ろ盾にやりたい放題の権勢を振るった御仁です。六代目総兵衛勝頼様が懲らしめたものの、吉保は最晩年、恐るべき呪術を鳶沢一族に仕掛けたのです。長きにわたってその闇祈禱は人知れず鳶沢村と大黒屋に厄災をなすのでございます。

七、八、九代目の総兵衛様たちが気づかなかったその闇祈禱を我らが十代目イケメン総兵衛勝臣様は、今坂一族の卜師を使って見事に看破します。そして闇祈禱の源となる影四神を……ああ、言いたい、言いたいけど言っちゃいけない、番頭さんに叱られる。ともかく、読んでください。できれば、旧シリーズの十一巻『帰還』から是非。

佐伯泰英／近刊のお知らせ

10月

12日発売予定

15 《光文社文庫》
吉原裏同心
『愛憎』

13日発売予定

《双葉文庫》
居眠り磐音　江戸双紙【帰着準備号】
『橋の上』
「磐音が歩いた『江戸』案内」「著者メッセージ＆インタビュー」「年表」収録

11月

15日発売予定

19 《ハルキ文庫》
鎌倉河岸捕物控
『針いっぽん』
「佐伯通信」第7号が入ります。
（初版、初回出荷分限定）

12月

14日発売予定

26 《祥伝社文庫》
密命
『晩節（仮）』

この「佐伯通信」は、佐伯泰英事務所が下記出版社の協力のもと年七回発行いたします。
㈱新潮社、㈱角川春樹事務所、㈱双葉社、㈱光文社、㈱講談社、㈱祥伝社、㈱幻冬舎